AME, RIA, VIVA E COLABORE

Dados Internacionais de Catalogação na Publicação (CIP)
(Câmara Brasileira do Livro, SP, Brasil)

Millman, Dan

Ame, ria, viva e colabore : quatro propósitos para você encontrar rumo e significado na sua vida / Dan Millman ; tradução Gilson César Cardoso de Sousa. — São Paulo : Pensamento, 2013.

Título original: The four purposes of life.
ISBN 978-85-315-1829-4

1. Desenvolvimento pessoal 2. Significado (Filosofia) 3. Vida 4. Vocação I. Título.

13-03882 CDD-128

Índices para catálogo sistemático:
1. Vida com propósito : Sentido da vida : Filosofia 128

Dan Millman

AME, RIA, VIVA E COLABORE

Quatro Propósitos Para Você Encontrar Rumo e Significado na Sua Vida

Tradução:
GILSON CÉSAR CARDOSO DE SOUSA

Editora
Pensamento
SÃO PAULO

Título do livro: *The Four Purposes of Life*.

Publicado originalmente nos Estados Unidos por H. J. Kramer, Inc.

P.O. Box 1082, Tiburon, CA 94920 USA.

Texto de acordo com as novas regras ortográficas da língua portuguesa.

1ª edição: 2013.

Editor: Adilson Silva Ramachandra
Editora de texto: Denise de C. Rocha Delela
Coordenação editorial: Roseli de S. Ferraz
Preparação de originais: Roseli de S. Ferraz
Produção editorial: Indiara Faria Kayo
Assistente de produção: Estela A. Minas
Revisão: Liliane S. M. Cajado e Vivian Miwa Matsushita
Editoração eletrônica: Fama Editora

Direitos de tradução para a língua portuguesa
adquiridos com exclusividade pela
EDITORA PENSAMENTO-CULTRIX LTDA., que se reserva a
propriedade literária desta tradução.
Rua Dr. Mário Vicente, 368 — 04270-000 — São Paulo — SP
Fone: (11) 2066-9000 — Fax: (11) 2066-9008
E-mail: atendimento@editorapensamento.com.br
http://www.editorapensamento.com.br
Foi feito o depósito legal.

A meus pais, Herman e Vivian Millman,
que me deram liberdade para encontrar
meu próprio caminho.

O propósito de vida é uma vida com propósito.

— ROBERT BYRNE

SUMÁRIO

Prólogo: *Viver com um propósito* 13

O PRIMEIRO PROPÓSITO
APRENDER AS LIÇÕES DA VIDA

• *Conscientize-se* • *Cresça* • *Desperte* 21
Adversidade voluntária 27
O regulamento da escola 28
O currículo da humanidade 30
Cursos exigidos 30

O SEGUNDO PROPÓSITO
ENCONTRAR UMA CARREIRA E UMA VOCAÇÃO

• *Escolha um trabalho satisfatório* • *Ganhe bem* • *Seja solidário* 41
A essência da carreira e da vocação 44

Histórias de carreira e vocação 46
Autoconhecimento e escolhas de carreira 59
Talentos, interesses e valores 63
Critérios para a escolha de uma carreira: a trindade das necessidades 71
Como se decidir por uma carreira: análise e imaginação. 76
Viagem no tempo com a mente subconsciente 79
A decisão de decidir 82
Notas sobre a carreira: de aprendiz a líder 83
Como você viverá sua vida? 88

O TERCEIRO PROPÓSITO
ENCONTRAR UM CAMINHO NA VIDA

• *Entenda sua vocação oculta* • *Aproveite seu potencial mais elevado* 97
Vocação oculta, potencial mais elevado 99
Determine seu número de nascimento 103
Seu número de nascimento e o terceiro propósito 104
Os nove caminhos de vida 105
Resumindo 112
Diferenças individuais, padrões comuns 115
Pontos básicos do seu caminho de vida 117
Caminhos de vida, caminhos de carreira 118
Só a intuição não basta 121
Preservar a fé: sua promessa e seu potencial 123

O QUARTO PROPÓSITO
PRESTAR ATENÇÃO AO MOMENTO PRESENTE

• *Preste muita atenção* • *Faça com que cada momento seja importante* 125
O homem que não tinha um propósito 128
O que Snood me ensinou sobre a vida 130
A vida como sequência de momentos 132
Não existe decisão futura 133
Não podemos apreender o agora 134
O desafio de ater-se ao presente 135
O dom da vida: uma questão de perspectiva 137
A prática mais importante 138

Epílogo: *Nosso propósito espiritual* 143
Agradecimentos 149
Recursos complementares: Fontes 153
Apêndice: Operações matemáticas para determinar seu número do caminho de vida 157

Prólogo

VIVER COM UM PROPÓSITO

Penso que o propósito de vida é, acima de tudo, perseguir alguma coisa que tenha importância, que conte; é fazer e explorar plenamente a diferença.

— LEO ROSTEN

Com o ritmo da vida cada vez mais acelerado e num mundo que se transforma rapidamente, não é fácil manter o equilíbrio e o senso de direção. No entanto, lutamos por isso, já que a busca de um propósito satisfatório talvez seja a melhor parte da felicidade. Nessa busca, a jornada pode ser mais importante que o destino — mas, sem um destino a alcançar, não existe nenhuma jornada, apenas perambulamos.

Nós, humanos, desde crianças perseguimos nossas metas, movidos pelos objetos do nosso desejo. Mas, em algum ponto do caminho, quase sempre pressionados pelos dilemas e angústias da adolescência, um sentimento confuso obscurece os desejos simples da infância. Aquilo que *queremos* é sufocado pelas expectativas daquilo que, em nossa opinião (ou na dos outros), *deveríamos* querer. Começamos então a duvidar de nossos desejos, a desconfiar de nossas motivações, a nos perguntar aonde vamos e por quê.

Em meu primeiro livro, *O Caminho do Guerreiro Pacífico,** o velho mecânico do posto de gasolina que chamei de Sócrates sugeria que toda busca — de conhecimento ou realização, de

* Publicado pela Editora Pensamento, São Paulo, 1993.

poder ou prazer, de amor ou riqueza e mesmo de experiência espiritual — é inspirada pela promessa de felicidade. Entretanto, a busca apenas reforça o dilema que a motivou. Assim, ele me aconselhava a substituir a busca da felicidade futura pela *prática* da "felicidade irracional" a cada momento.

Quando minha busca terminou e minha prática começou, compreendi que aquilo de que todos precisamos, mais ainda que a sensação de ser feliz, é um *propósito* claro — uma missão ou meta significativa que nos ligue a outros seres humanos. Como escreveu Viktor Frankl em seu livro *Man's Search for Meaning*, essa necessidade fundamental de rumo e propósito pode ser tão importante para nossa evolução psicológica quanto comer é imprescindível para a sobrevivência biológica.

Infelizmente, os deveres diários nos deixam pouco tempo para refletir sobre as questões mais importantes da vida, exceto em ocasiões raras, nas horas silenciosas ou nas fases de transição e trauma, quando as grandes perguntas ocorrem: *O que desejo realmente? Como saber se já tenho isso? O que acontecerá se eu realizar meu desejo? Obter o que quero me levará aonde pretendo chegar?* E, finalmente: *Qual é o propósito da minha vida?*

Talvez você já tenha se perguntado por que está na Terra ou o que veio fazer aqui — aquilo que os franceses chamam de *raison d'être*, a *razão de ser*, um princípio organizador e um senso de direção que dá forma e significado à existência. A história fornece inúmeros exemplos de figuras modelares como Joana d'Arc, Mohandas Gandhi, Nelson Mandela e o Dalai Lama, cuja clareza de propósito atraiu outros para suas missões como moscas para a luz.

Este livro, que contém elementos de minhas obras anteriores, apresenta-os na plenitude de seu contexto pela primeira vez e foi inspirado por minha própria busca de um propósito na vida. Antes, eu pensava que esse propósito era o trabalho; em meus vinte e quase até o fim da de meus trinta anos, procurei descobrir para mim uma carreira e uma vocação. Foi necessária outra década de reflexão e introspecção para eu entender que a carreira é apenas um entre quatro propósitos primordiais de vida.

Mas por que *quatro* propósitos? Alguns poderiam replicar que nosso único (ou anímico) propósito é aprender a amar; que, para qualquer pergunta, o amor é a resposta; e que o despertar espiritual, juntamente com a entrega a Deus, é o desígnio final dos homens. Outros diriam que nosso propósito biológico primário é a família — a ligação com um parceiro, a geração e a educação dos filhos. Outros, ainda, proporiam três, cinco ou mais propósitos, chegando a sugerir que existem tantos propósitos quanto pessoas neste mundo. Mas, do mesmo modo que concentramos todos os dias do ano em quatro estações e todos os pontos cardeais em quatro direções básicas, inserir as experiências de vida em quatro propósitos fundamentais nos ajuda a cultivar um senso de estrutura interior no quadro geral de nossa vida. Esses quatro propósitos também nos preparam e nos conduzem para o despertar definitivo e transcendental prometido por todas as grandes tradições espirituais.

O primeiro propósito que exploraremos neste livro — *aprender as lições da vida* — se baseia na premissa de que a Terra é uma escola e a vida diária, uma sala de aula. Nossos desafios cotidianos (nos palcos centrais do relacionamento, trabalho, dinheiro e saúde) trazem conhecimento, evolução e perspectiva. O valor da nossa experiência diária reside naquilo que aprendemos durante o processo. Os dias mais difíceis podem proporcionar as lições mais importantes, ajudando-nos a aprimorar a percepção e a reflexão sobre nós mesmos, que conduzem a uma sabedoria maior.

O segundo propósito — *encontrar uma carreira e uma vocação* — ressalta a importância crítica do autoconhecimento, bem como da integração de lógica e intuição para tomar as decisões mais acertadas possíveis. Essa parte mostra também que os serviços prestados no mundo podem tornar-se um caminho reto para a evolução pessoal e espiritual.

O terceiro propósito — *encontrar um caminho na vida* — pressupõe a vocação oculta que você está aqui para explorar, um caminho pessoal que para a maioria das pessoas, no entanto, permanece inexplorado. As informações dessa parte lançam luz sobre os poderes que você tem e os desafios que enfrenta, deixando clara a missão especial que está fadado a cumprir.

O quarto propósito — *prestar atenção ao momento presente* — coloca no devido foco, no cenário prático, os três primeiros propósitos, permitindo-nos integrá-los à consciência e à graça no seio de cada momento que surge.

Escrevi este livro para quem quer que esteja buscando uma compreensão mais profunda de si mesmo e de sua vida, mas, especialmente, para quem se vê numa encruzilhada, enfrentando um desafio ou uma mudança para os quais os métodos "de sempre" já não funcionam. Acompanhe-me e, juntos, examinaremos os quatro propósitos básicos que oferecem rumo e significado num mundo em transformação.

O Primeiro Propósito

APRENDER AS LIÇÕES DA VIDA

• *Conscientize-se* • *Cresça* • *Desperte*

O sábio aprende com a adversidade;
o tolo a repete.

— PROVÉRBIO

A Terra é uma escola perfeita; o cotidiano é uma sala de aula. A comparação talvez não seja nova, mas o que se segue ajudará você a avaliar o pleno valor de sua experiência de vida. Quando essa premissa central penetrar sua psique, você deixará de procurar e começará a acreditar — pois ficará diante de uma verdade maior: não está aqui apenas para obter sucesso, está aqui também para *aprender*. O cotidiano *seguramente* lhe ensinará tudo o que precisa saber para evoluir, se aperfeiçoar e despertar para o propósito principal da sua existência na Terra.

Você está evoluindo mesmo agora — e não poderá fracassar, a menos que desista de aprender. Como uma pedra lentamente polida pelo fluxo do rio, somos moldados, ao longo do tempo, pelas correntes da vida. O santo indiano Ramakrishna observou certa vez: "Se você tentar abrir uma noz quando a casca ainda estiver verde, dificilmente conseguirá. Mas, se ela estiver madura, poderá abri-la com uma leve pressão." A sala de aula do cotidiano acelera nosso processo de amadurecimento.

Há alguns anos, recebi uma carta que descrevia este dilema enfrentado por muitos: "A partir da leitura de seu primeiro livro, passei a me interessar cada vez mais pela prática espiritual; no entanto, como encontrarei ocasião para isso se tenho esposa, três filhos e emprego de tempo integral?" Respondi lembrando ao missivista que sua esposa, filhos e emprego eram, para ele, as práticas espirituais mais importantes — pois a verdadeira prática não se dissocia do cotidiano, mas constitui sua verdadeira substância. Como disse o escritor Adair Lara, "Eu e muitos mais estamos apenas começando a perceber a poderosa religião da vida comum, a espiritualidade que reside em pisos e pratos recém-lavados, em roupas se agitando no varal".

A vida diária e a jornada que ela representa serão sempre seu professor principal. Este livro é um mapa para orientá-lo ao longo do caminho e do curso que está fazendo na escola deste mundo.

Aí vão algumas dicas sobre como funciona o processo de aprendizado na sala de aula do cotidiano:

As lições se repetem até que consigamos aprendê-las. Às vezes ouvimos um toque de despertar, mas preferimos cobrir a cabeça com os lençóis para dormir e sonhar um pouco mais. Podemos ignorar, combater, racionalizar ou negar a realidade por um considerável lapso de tempo. Está tudo bem — nosso aprendizado tem ritmo próprio, mas as lições continuarão sendo proferidas até que nossas ações mudem.

Se não aprendermos as lições mais fáceis, elas se tornarão mais difíceis. A resistência ao aprendizado (ou à mudança) traz péssimas consequências com o tempo — não para nos punir, mas para nos chamar a atenção. Como escreveu Anaïs Nin, "Chega uma época em que o risco de permanecer em botão é mais penoso do que o risco de desabrochar".

Aprendemos e evoluímos por meio de desafios; as adversidades têm recompensas ocultas. Todos nós já experimentamos dor física, mental e emocional. No entanto, cada desafio nos infundiu uma dose maior de força, sabedoria e visão. Talvez não recebamos bem um desafio, uma mudança inesperada, uma perda ou um desapontamento; mas olhando para trás, com o passar do tempo, acabamos por valorizar os dons da adversidade.

Ora, vamos!, você poderá pensar, *já ouvi essa lenga-lenga antes*: "Deus fecha uma porta e abre uma janela", "Tudo tem seu lado bom", "O que não mata cura". Mas não vou repisar lugares-comuns nem pregar "atitudes positivas". Dor e dificuldades, com efeito, não são nada divertidas — falo por experiência própria.

Há algum tempo, quando um acidente de moto me deixou com um fêmur quebrado, a recuperação foi difícil — e mudou o curso da minha vida. Comecei a fazer perguntas mais sérias e a buscar novos caminhos que, de outra forma, não me chamariam a atenção. Sair desse buraco me deu forças para escalar as montanhas interiores. Certamente, não recomendo fraturas de ossos como método de evolução pessoal, embora tenha aprendido a encarar todas as dificuldades como uma forma de malhação — e todos estamos malhando.

Meu acidente foi um dos milhões de problemas que as pessoas enfrentam todos os dias no planeta Terra, de doenças graves a abusos na infância e miséria absoluta. Ainda assim, o potencial de evolução permanece. A 26 de novembro de 2010, na seção "Cartas" da *New York Times Magazine*, Betty Rollin escreveu:

> Trinta e cinco anos após minha primeira mastectomia e 26 depois da segunda, sinto-me estranhamente satisfeita com a experiência total do câncer. Não quer dizer que a recomende. Aos poucos, porém, fui percebendo que uma coisa pode ser assustadora, mas ainda assim nos beneficiar. Coisas assustadoras acontecem a quase todos nós e é um momento feliz aquele em que começamos a notar uma compensação. Os sobreviventes de câncer, por exemplo, notam que estão respirando — as outras pessoas, não. E, porque estão respirando, sentem-se gratas — as outras pessoas, não. Ora, a gratidão é uma boa maneira de recobrar a coragem e esquecer o complexo de "coitadinho".

Todos nós nos sentimos "coitadinhos" às vezes. Como a pessoa que me perguntou: "Por que a vida tem de ser tão difícil?" Respondi: "Você quer que a vida seja fácil? Então não se case nem tenha filhos; não assuma responsabilidades e não se apegue a ninguém; faça sempre o mínimo e nunca voluntariamente; viva uma vida medíocre e ela lhe parecerá mais fácil. Mas nós, humanos, estamos no mundo para viver o mais facilmente possível? Ou para ficar mais fortes e sábios?" Acho que santo Agostinho sabia a resposta, pois disse: "Senhor, não peço uma carga mais leve e sim ombros mais fortes".

Sem dúvida, podemos descobrir meios fáceis e eficientes de alcançar nossos propósitos, sem correr atrás de adversidades ou criar complicações desnecessárias. Mas, enquanto isso, a vida continuará apresentando seu variado cardápio de desafios que contribuem para a evolução e o crescimento. Vão surgir fatos imprevisíveis e incontroláveis; não podemos deter as ondas que se aproximam, mas podemos deslizar sobre elas. Conforme observou certa vez meu velho mentor Sócrates, encolhendo os ombros: "Se o elevador estiver parado, suba as escadas". No entanto, como a sobrevivente de câncer Betty Rollin e muitos outros compreenderam, benefícios inesperados podem surgir de uma grande adversidade, motivo pelo qual às vezes a procuramos.

Adversidade voluntária

Tentar carreira no esporte, estudar para exames vestibulares ou aprender interpretação, música, pintura e outras artes são formas de adversidade voluntária: teremos de enfrentar obstáculos internos e externos ao longo do processo, sempre às voltas com a insegurança e a frustração. As exigências do treinamento revelam nossas fraquezas e desenvolvem nossas forças. Assim, toda dedicação a um projeto pode se transformar num caminho de evolução pessoal.

A vida cotidiana oferece também outras formas de adversidade voluntária. Por exemplo, preservar um relacionamento duradouro e criar filhos, com todos os seus prazeres e alegrias, apresenta desafios de peso; pode-se dizer o mesmo das responsabilidades no trabalho e dos cuidados com os pais idosos. Sempre há alguma coisa para alguém na escola da vida diária.

Vários tipos de adversidade são *involuntários*: um motorista bêbado nos atropela, perdemos o emprego ou uma pessoa querida, contraímos câncer apesar de uma dieta saudável e de muito exercício. Mas nós mesmos procuramos muitos dos desafios da vida diária — talvez quase todos. Pagamos para entrar na briga. Você, por exemplo, escolheu (ou tomou decisões que conduziram a isso) com quem está, onde mora, o que faz. Assumindo plena responsabilidade pelas escolhas passadas, exige o direito de continuar escolhendo. E, enquanto tira o melhor da vida, a vida lhe dá o melhor.

Como me lembrou Sócrates em *O Caminho do Guerreiro Pacífico*: "A senda é que cria o guerreiro. Somos todos guerreiros pacíficos em treinamento e cada vida é a jornada de um herói".

O regulamento da escola

Além do currículo básico (que logo mostrarei), a escola da Terra possui um conjunto de regras muito claras, conhecidas também como leis naturais ou universais. Essas regras refletem a realidade — a mecânica do nosso universo. Oferecem igualmente orientação sobre como agir de maneira sábia e correta durante o curso. Assim, quanto mais entendermos e respeitarmos essas normas, mais fácil será nossa educação.

Em ciência, as leis universais são descritas com rigor matemático, como na equação $E = mc^2$. Em religião, tomam a forma, por exemplo, dos Dez Mandamentos, das prescrições do Talmude, do Alcorão ou da Regra de Ouro.

Essas leis, ou normas escolares, não se baseiam em conceitos morais e sim no binômio ato-consequência. Embora alguns proclamem que a moralidade vem do alto, para outros ela é pura invenção humana. Os preceitos éticos variam conforme a época e a cultura — por isso, o filósofo Bertrand Russell sugeriu que "o pecado é geográfico". Contudo, homens sábios entre nós observaram que determinados atos levam a determinadas consequências e lições. Aprender essas lições — evitando que elas se repitam — depende de boa vontade e mente aberta.

O mundo físico exibe e reflete as leis universais em toda a sua pureza. Note, por exemplo, como as árvores precisam de raízes sólidas, mas também de galhos flexíveis para resistir a ventos fortes; como os regatos contornam graciosamente os obstáculos, buscando o caminho de menor resistência; e como as estações se sucedem em sua ordem natural.

Implícitas no cotidiano, as normas escolares proporcionam uma visão, baseada na realidade, do modo de vida que chamo de *caminho do guerreiro pacífico*. Obedecendo às leis da realidade, isto é, acomodando a elas nossa vida e comportamento, nós aprendemos, crescemos e evoluímos com impressionante desenvoltura.

O currículo da humanidade

Se a Terra é uma escola, que cursos devemos fazer para tirar o diploma? Há alguns anos, a resposta me ocorreu sob a forma de doze matérias principais: um currículo específico implícito (ou explícito) nas atividades cotidianas. São elas: autovalorização, disciplina, bem-estar, dinheiro, mente, intuição, emoções, coragem, autoconhecimento, sexualidade, amor e serviço, que resumo abaixo no catálogo dos "Cursos exigidos".

Nesse currículo abrangente e plenamente integrado, todas as matérias são igualmente importantes — nenhuma é optativa. Podemos ser testados na área de saúde ou dinheiro num dia e, no outro, enfrentar uma prova de coragem. Não há notas, o aluno é aprovado ou reprovado. A aprovação é sinal de progresso; a reprovação, uma oportunidade de aprender e se sair melhor da próxima vez. (Assim, não há reprovação permanente, apenas a necessidade de refazer o curso e prosseguir na mesma linha de estudo.) Saiba que a vida espiritual se inicia no chão, não no ar — até os atletas olímpicos começam pelo básico. À medida que suas habilidades forem melhorando em cada uma dessas áreas, você começará a experimentar o verdadeiro significado do sucesso sob a forma de estados superiores de lucidez, energia e ação.

Cursos exigidos

Ao ler as seguintes descrições sumárias das doze matérias básicas no currículo da vida, reflita sobre seu progresso atual em cada uma e sobre os melhoramentos que ainda são possíveis na esfera do autodomínio.

Fundamentos da autovalorização: mudança de rumo

A vida propicia certas oportunidades e escolhas, mas nós só nos permitimos recebê-las, realizá-las e usufruí-las na medida em que nos julgamos merecedores delas. Uma parábola muito conhecida aconselha: "Pedi e recebereis". A pergunta é: o que queremos pedir, o que queremos fazer força para obter? Como disse Ramakrishna, "Um oceano de bênçãos pode cair dos céus, mas, se você recolher apenas um dedal, é só o que terá". Assim, se agirmos na crença de que "a cavalo dado não se olham os dentes", teremos poucas opções. A baixa autovalorização é uma causa primária da autossabotagem. Nem todos sabotam conscientemente seus relacionamentos ou finanças, mas podem se perguntar às vezes: "Por que fui dizer aquilo? Por que fiz aquela besteira?" Este primeiro curso na escola da vida impedirá que recolhamos apenas um dedal de bênçãos, dizendo "Oh, realmente não posso aceitar mais", e nos ensinará a abrir os braços, gritando "Obrigado, obrigado!". Reconhecer nosso valor inato expande nossos horizontes e nos encaminha para uma vida mais plena.

Raízes da vontade: a prática da autodisciplina

Quase todos nós conhecemos o valor do exercício regular, de uma boa dieta, da amabilidade, do relaxamento e do abandono dos maus hábitos. Nosso maior desafio, em qualquer área do autoaperfeiçoamento, é transformar o saber em ação — o que sabemos no que realmente fazemos. Algumas pessoas agem sem pensar, muitas pensam sem agir. A força de vontade não é uma energia misteriosa que cai do céu; é um poder inato, que espera dentro de nós para ser aplicado. Nós o aplicamos toda vez que cumprimos uma tarefa (recolher o lixo, lavar roupa, trabalhar no escritório, fazer os deveres escolares), mesmo sem motivação. Assim, esse problema, enfrentado diariamente, exige que você invoque sua vontade para alcançar seus propósitos. À medida que as habilidades e a compreensão se aperfeiçoam, entendemos melhor que a vida será moldada amplamente por nossos atos diários — quer gostemos ou não de executá-los.

Bem-estar: maneiras de encarar a saúde e a vitalidade

O corpo, base da existência terrena, é a única posse que conservaremos durante a vida inteira. Cuidar bem dele e alimentá-lo é a chave para todo o resto. Um corpo energizado proporciona força, acuidade mental, cura, interações sociais e qualquer outra atividade humana. Embora a genética desempenhe papel importante na saúde e longevidade, muita coisa depende de nós — o chamado *estilo de vida* ou escolhas diárias. As duas matérias básicas anteriores de nosso curso — autovalorização e autodisciplina — abrem caminho para um estilo de vida energizante, saudável. Neste curso, com o tempo e por meio da experiência pessoal, aprenderemos a sabedoria do exercício regular e moderado, da dieta balanceada, do repouso suficiente. Isso nos dará mais energia para todos os outros cursos da escola da vida.

Dinheiro e valores: a conquista da estabilidade e da suficiência

Ganhar, gastar e economizar dinheiro preocupa quase todos nós, que passamos boa parte do dia tentando ganhá-lo cada vez mais. Entretanto, para as pessoas que têm interesse religioso ou espiritual, o dinheiro é suspeito — uma questão que envolve sentimentos contraditórios e foi bem expressa pelo ex-campeão de boxe Joe Louis: "Não gosto realmente de dinheiro, mas ele me acalma os nervos". Por fim, aprendemos esta lição: o dinheiro é uma forma de energia que apenas nos torna mais parecidos com o que já somos. Pode nos prender ou libertar, dependendo do modo como o manipulamos. Este curso talvez não conduza todos a uma grande riqueza, mas sem dúvida lhes apontará o caminho para maior suficiência e estabilidade, proporcionando-lhes até, quem sabe, a satisfação profunda da filantropia. Como reza o provérbio árabe, "Se tens muito, dá uma parte de tua fortuna; se tens pouco, dá teu coração".

Exploração da mente: a natureza do nosso mundo interior

Esta matéria do currículo básico nos ajuda a entender a natureza ilusória da mente subjetiva. Lao-tsé recomendava: "No instante em que um pensamento lhe ocorrer, ria dele", pois a realidade não é aquilo que pensamos. Percebemos o mundo através de uma vidraça colorida por crenças, interpretações e associações. Vemos as coisas não como *elas* são, mas como *nós* somos. O mesmo cérebro que nos permite filosofar, resolver equações matemáticas e compor poesias também gera uma corrente de estática conhecida como "pensamentos discursivos", que parecem chegar por acaso à nossa consciência. Esse ruído mental é um fenômeno corriqueiro, não mais problemático que os sonhos de uma pessoa adormecida. Portanto, nosso aprendizado visa não a combater pensamentos casuais, mas a transcendê-los no momento atual, quando ainda não existem pensamentos, só percepção. A libertação de nossa mente não deve ocorrer num futuro imaginário, mas aqui e agora.

Introdução à intuição: como recorrer à orientação do subconsciente

Sussurrando abaixo de nossa percepção diária, existe uma consciência infantil — um xamã, um místico, um tecelão de sonhos e um preservador de instintos. Nossa mente subconsciente (ou sabedoria corporal) possui a chave do cofre onde estão entesouradas a orientação intuitiva e as habilidades de sobrevivência. Ela nos ajuda a tomar decisões sensatas e pode salvar nossa vida em momentos de perigo. O cotidiano, enfim, nos ensina como é importante confiar nas mensagens intuitivas e, segundo as palavras do mestre espadachim zen Taisen Deshimaru, a "pensar com o corpo inteiro". Quase todas as descobertas científicas são fruto de lampejos criativos da visão intuitiva (posteriormente testados e verificados pelo método científico). Por esse motivo, Einstein afirmou que a imaginação é mais importante que o conhecimento. Quando aprendemos a deixar que a intuição se torne o conselheiro confiável da razão, integramos raciocínio e fé, lançando uma ponte para a sabedoria e para uma maneira nova de sentir o mundo.

A natureza dos sentimentos: como alcançar a liberdade emocional

As emoções desempenham um papel de destaque na vida humana. Por trás de qualquer busca há o desejo de se sentir *bem* (feliz, contente, realizado, confiante) *por mais tempo* — e de se sentir *mal* (ansioso, triste, irritado, receoso) *por menos tempo*. No mundo todo, as pessoas gastam bilhões de dólares se automedicando e adquirindo montes de livros que prometem substituir sentimentos ou pensamentos ruins por sentimentos e pensamentos bons. Enquanto isso as emoções continuam, por conta própria, se erguendo e baixando como ondas no mar, deslizando como nuvens no céu. Entretanto, com o correr do tempo, a escola da realidade nos ensina a aceitar e valorizar nossas emoções, a aprender com elas sem tentar detê-las ou controlá-las — e sem permitir que condicionem nosso comportamento. A vida mostra que temos mais controle sobre o comportamento do que sobre as emoções ou os pensamentos passageiros. Graças a essa constatação, podemos fugir de dramalhões intempestivos e confusos, implantando em seu lugar um comportamento estável, maduro, responsável. Aprendemos a deslizar sobre as ondas volúveis da emoção, como um surfista habilidoso, quando captamos a grande verdade segundo a qual não precisamos nos *sentir* compassivos, pacíficos, confiantes, corajosos, felizes ou amáveis — só precisamos nos *comportar* dessa maneira.

Fundamentos da coragem: como enfrentar nossos medos

Aqui, encaramos a emoção primária do medo, que pode levar à paralisia do poder, salvar uma vida ou destruí-la. O medo pode nos chamar a atenção para um perigo real; pode fazer com que nos preparemos bem, tomemos precauções ou evitemos determinada situação. Mas pode também sobrecarregar nossa vida com grandes doses de ansiedade e insegurança. Quantas pessoas não perdem oportunidades por causa do medo do desconhecido? Tememos igualmente a rejeição, o fracasso e mesmo o sucesso. Na sala de aula da vida diária, aprendemos a ouvir o conselho do medo quando nosso corpo físico corre risco. Mas quando o medo é mais subjetivo — de passar por dificuldades, de parecer tolo, de se ser rejeitado —, nós o sentimos, mas agimos com coragem. Coragem não é ausência de medo, mas superação de medo. Os heróis temem tanto quanto os covardes; apenas reagem de maneira diferente.

Conheça-se a si mesmo: como encontrar a plenitude nas sombras

Na infância, nosso poder e encanto vêm da autenticidade: nossos atos não são contaminados por subterfúgios ou intenções ocultas. Mas, com o tempo, aprendemos a pregar mentiras sociais e a usar de pretextos para agradar ou conciliar os outros, sufocando assim a porção sincera de nossa psique. Desse modo, criamos uma personalidade envolta em sombras, construída de fragmentos de nossa identidade e potencial plenos. Quando, porém, amadurecemos e começamos a entender que, muitas vezes, nós mesmos somos a causa de nossas dificuldades, passamos a nos observar com mais tolerância e a adquirir um autoconhecimento mais profundo — a negação vai sendo substituída pela autenticidade à medida que a luz da percepção penetra nossas sombras. Então, aceitamos a nós mesmos (e aos outros) como somos e como gostaríamos de ser. Acolhendo a plenitude de nossa humanidade, abrimos caminho para a transformação e o progresso genuínos.

A vida sexual: como entender o princípio do prazer

Nosso desejo de intimidade sexual é tão natural quanto uma trovoada ou uma mudança de estação. Entretanto, se suprimirmos ou explorarmos a energia sexual, criaremos obsessões, compulsões e complexos de culpa. Esta matéria de estudo, na esfera dos relacionamentos, ensina-nos a observar, aceitar, usufruir e canalizar nossa energia sexual criativa em vez de apenas tolerá-la ou negá-la. Quer sejamos novos ou velhos, ativos sexualmente ou não, vítimas de abuso ou "perfeitamente ajustados" — não importa a orientação sexual —, todos temos algumas áreas a explorar. Os problemas sexuais raramente giram em torno do ato sexual em si. Quase sempre, nossas complicações se originam de crenças fantasiosas, medos, insegurança ou ciúme, além de problemas de identidade. Este estudo da vida inclui, mas também ultrapassa, nossos impulsos nas áreas da percepção, equilíbrio, confiança, abertura, retidão e coragem para conquistar a verdadeira intimidade.

O domínio do amor: como despertar o coração

Apesar de todos os esforços de poetas e filósofos ao longo dos tempos, o amor desafia qualquer definição. Ele é visto como sentimentalismo, paixão quimicamente induzida por hormônios, prazer sexual, devoção familiar, tudo quanto nos faça sentir bem de algum modo. Como se sabe, a palavra *love* [amor], em inglês, pode ser substantivo ou verbo — ou seja, algo que sentimos ou algo que fazemos. Nossa experiência de vida revela a natureza evolutiva do amor: ele passa da emoção, que surge e desaparece independentemente de nosso controle, para uma arte que pode ser aprendida — de algo que recebemos para algo que damos. À medida que amadurecemos, a prática do amor nos liberta da dependência das marés mutáveis da emoção. Adquirimos a capacidade de ser amáveis com os outros mesmo quando não estamos dispostos a isso. É o poder do amor, a educação do sentimento.

Solidariedade e significado: como completar o círculo da vida

Todos sabemos que a solidariedade é uma boa coisa — que ajudar os semelhantes nos afasta da preocupação exclusiva com o próprio eu e volta nossa atenção para o mundo exterior. Mas ajudar não é apenas fazer alguma coisa pelos outros; é também um ato de autotranscendência, ou seja, algo que praticamos sem nenhum interesse egoísta. O último curso de nossa escola propicia um vínculo essencial que preenche os demais. A solidariedade é uma forma de yoga, um catalisador de amizades, uma afirmação de nossa humanidade comum. Até o menor gesto de autossacrifício — dar um pouco de nosso tempo, energia ou atenção — muda o foco de "O que ganharei com isto?" para "Qual é o bem maior para todos?". Cada serviço prestado ao próximo significa a fruição da maturidade espiritual, que completa nosso currículo e, também, o círculo da vida. Ajudando, encontramos a chave principal para uma vida significativa e útil: ficamos ligados uns aos outros e ao mundo.

Antes de passar ao segundo propósito, reserve alguns instantes para avaliar o que você já realizou em cada uma das doze matérias do currículo básico da Terra — autovalorização, disciplina, bem-estar, dinheiro, mente, intuição, emoções, coragem, autoconhecimento, sexualidade, amor e solidariedade —, que são outros tantos testes que enfrentou e outras tantas lições que aprendeu. Mas não se envolva nessas doze matérias a ponto de perder de vista o propósito maior — *aprender as lições da vida* —, que conduz a mais sabedoria, perspectiva e consciência do valor e significado de sua vida diária.

O Segundo Propósito

ENCONTRAR UMA CARREIRA E UMA VOCAÇÃO

• *Escolha um trabalho satisfatório*
• *Ganhe bem* • *Seja solidário*

Qualquer que seja o trabalho de sua vida, faça-o benfeito. Tão benfeito que ninguém possa fazê-lo melhor. Se seu quinhão for ser um varredor de rua, varra ruas como Michelangelo pintava quadros, como Shakespeare escrevia poesia, como Beethoven compunha música; varra ruas tão bem que todas as hostes do céu e da terra parem para dizer: "Ali viveu um grande varredor de ruas".

— MARTIN LUTHER KING JR.

TODA PESSOA NA TERRA — quer viva num bairro rico, no centro da cidade ou na área rural — possui 24 horas por dia, dezesseis delas em estado mais ou menos de vigília. Dependendo das opções disponíveis, as pessoas em geral buscam uma maneira produtiva de gastar essas horas. E, a menos que seja financeiramente independente, a maioria, nos países desenvolvidos, passa quase o dia inteiro fazendo em casa ou fora um trabalho que lhe dê um senso de finalidade (ou mesmo de orgulho) e, ao mesmo tempo, beneficie o próximo. Alguns tipos de trabalho oferecem, principalmente, recompensas materiais; outros podem render pouco, mas proporcionam compensações psicológicas ou emocionais.

Qualquer que seja sua situação atual — estudando, em busca de emprego, calculando os próximos passos, promovendo uma mudança ou chegando perto da aposentadoria —, o segundo propósito convida-o a examinar o trabalho que está fazendo (ou gostaria de fazer) à luz de seus interesses, habilidades e valores; em suma, a avaliar seu relacionamento com a carreira e a vocação.

A essência da carreira e da vocação

Uma vez que a maior parte das pessoas, ao refletir sobre seu "propósito na vida", pensa imediatamente numa carreira ou vocação, vamos esclarecer desde já o significado desses dois termos.

Sua *carreira* é o serviço que você presta — trocando tempo, esforço, atenção, conhecimento, habilidades e experiência por um salário ou outra forma de renda ou benefício. Você pode chamar a isso seu emprego, trabalho, meio de vida, ocupação, negócio, vocação, profissão ou "apenas um bico". Pode ter inúmeras razões para comparecer ao local de trabalho todos os dias — mas, a menos que goze de independência financeira, ganhar dinheiro é uma das principais motivações de qualquer carreira.

Sua *vocação* diz respeito a um interesse pessoal, atração, inclinação, impulso ou paixão que geralmente (mas nem sempre) é de ordem superior. Não se trata apenas de algo que deseja fazer, mas também de algo que, em sua opinião, *precisa* ser feito, que mobiliza sua imaginação, toca-o profundamente e o absorve, embora talvez nem consiga explicar por quê. A vocação pode (ou não) proporcionar renda e tornar-se uma carreira.

Às vezes, a vocação assume a forma de arte, artesanato ou outra prática criativa como escrever, pintar e tocar um instrumento musical. Outras vezes, envolve serviço voluntário como ensinar, cuidar de crianças ou idosos, fazer caridade. Algumas pessoas, querendo ajudar a comunidade ou o mundo, entram para ordens religiosas, alistam-se nas forças armadas, iniciam-

-se na política ou aderem a causas ambientalistas (ou outras). Ter filhos e cuidar de casa pode ser uma das vocações mais nobres e fundamentais.

Dado que a vocação autêntica está quase sempre associada à ajuda ao próximo, atividades pessoais de lazer como o golfe ou o boliche, a caça ou a pesca, a costura ou a leitura, o tricô ou a construção de miniaturas de navios incidem na categoria dos *hobbies* ou passatempos. Mas se começarmos a praticar ou a ensinar esses *hobbies*, partilhando-os com os demais, eles se transformam em carreira — um caminho profissional absorvente que leva ao aprendizado e ao crescimento.

O interesse de uma criança por truques de mágica pode desaparecer com a chegada de um amor prematuro ou alguma outra paixão; mas outra criança pode acabar se transformando num mágico profissional. O gosto de um adolescente por *video games* pode se desvanecer com a idade; mas outro adolescente pode se tornar um talentoso criador de jogos eletrônicos. Do mesmo modo, muitas pessoas se interessam por yoga, artes marciais ou outras formas de cultura física — mas, no caso de alguns pioneiros e professores populares, o envolvimento com exercícios evoluiu para uma carreira e uma vocação de toda uma vida.

A principal diferença entre carreira e vocação é que buscamos uma carreira sobretudo para ganhar dinheiro e uma vocação, para obter satisfação íntima. Todavia, se você gosta de sua carreira a ponto de trabalhar de graça (caso possa), então muito provavelmente ela se transformou em vocação também. E, se a vocação começa a produzir bons rendimentos, então ela passou a ser igualmente uma carreira.

Por que essa diferença é importante? Porque muitas pessoas se apegam à vocação e ficam em apuros financeiros, ignorando ou combatendo a necessidade prática de um emprego rendoso. Elas insistem: "Devo ser livre para seguir os impulsos de meu coração e devotar a vida à minha arte". Outras se preocupam tanto em alcançar sucesso na carreira que não ouvem mais o apelo de uma atividade edificante, que poderia dar ainda mais alegria e significado à sua vida.

Para alguns de nós, carreira e vocação se tornaram uma coisa só; para outros, permanecem separadas e distintas. Uma situação não é necessariamente melhor que a outra. Cada uma é cada uma.

Histórias de carreira e vocação

As histórias que se seguem esclarecem maneiras diferentes de encarar a carreira e a vocação. Embora eu tenha alterado nomes e detalhes identificadores no interesse da privacidade, elas são reais, com personagens de carne e osso — um pequeno exemplo destinado a enfatizar a variedade de experiências com que as pessoas se deparam no tortuoso caminho da carreira e da vocação.

Conheci Megan Caldwell no Oberlin College, onde eu treinava as equipes masculina e feminina de salto de trampolim. Poucas vezes encontrei uma atleta universitária que amasse tanto seu esporte ou se divertisse tanto com ele: Megan parecia realmente empenhada em aperfeiçoar sua técnica no trampolim. (Eu mal me lembrava de que ela ia se formar em matemática e física.) No primeiro ano, ganhou o prêmio da Women's Conference em trampolim de três metros.

Depois disso, passei a outra fase de minha vida e não nos vimos por duas décadas. Ela abandonou os saltos de costas para resolver de frente problemas de eletrônica e acústica. Obteve um Ph.D. em Indiana e fez pós-doutorado em Stanford, passando a trabalhar com tecnologias avançadas de rastreamento, onde transformava números que representavam voltagens em imagens coerentes de radar para a defesa nacional.

Megan conseguiu construir uma carreira sólida — mas, durante cerca de vinte anos, exceto por uma ou outra sessão de treinamento, o atletismo se tornou para ela coisa do passado. Então, em 1997, já com quarenta e poucos anos e pesquisando na Universidade de Minnesota, descobriu um curso de mergulho para principiantes. Matriculou-se. O instrutor, percebendo sua habilidade e boa forma, sugeriu que ela competisse no Masters Diving em sua faixa etária. Ela fez isso e ganhou vários títulos nacionais, inclusive o campeonato do Masters World em trampolim de três metros.

Mesmo levando a sério a carreira, a professora Megan Caldwell permaneceu dedicada à sua vocação: o mergulho. Durante um jantar numa fria noite de outono em

Berkeley, Califórnia, onde ela era professora visitante de um instituto de matemática, eu soube que Megan reservava duas horas, três dias por semana, para ir de ônibus, trem ou a pé de Berkeley a Stanford, a fim de praticar com outros mergulhadores de sua idade — fizesse sol ou chuva (ah, se não fossem os banhos quentes entre um mergulho e outro!). Ela estava então no grupo etário de 55 a 59 anos, mas sua forma e seu amor à vocação eram os mesmos da jovem que eu conhecera havia tanto tempo.

A vida de Megan foi abençoada, mas as bênçãos vieram de anos de trabalho e aplicação. Sua carreira e sua vocação, duramente conquistadas, eram mundos à parte; porém, cada uma lhe deu um tipo especial de satisfação.

A história seguinte é diferente, pois mostra como um homem já de certa idade descobriu sua vocação e transformou-a em carreira, numa reviravolta espetacular.

Kevin Kohler descobriu sua vocação bem cedo, mas não tinha paciência com empregos. Sua paixão, no colégio e na faculdade, era o jogo de Ultimate Frisbee. As muitas horas que gastava arremessando o disco lhe garantiram certa habilidade, mas esse passatempo não prometia muita coisa como profissão.

Por fim, seus pais sugeriram que ele saísse do quarto de infância para seu próprio apartamento — afinal, nessa época já tinha 32 anos. Pouco tempo depois, enquanto tomava banho, uma ideia faiscou no cérebro de Kevin. Entusiasmado com a revelação, enxugou-se às pressas e ligou para a Wham-O Corporation, que fabricava os discos, e conseguiu falar com um executivo do departamento de marketing. "Minha proposta é a seguinte", disse Kevin. "Quero que o senhor me dê quinhentos discos com as palavras *Paz Mundial* escritas em inglês e no alfabeto cirílico dos russos. E quero mais: que o senhor pague minha viagem à Rússia e minha estadia lá por um mês. Serei um embaixador *frisbee* da boa vontade: irei à Praça Vermelha todos os dias, depois de obter permissão, e ensinarei as pessoas a arremessarem os discos. Isso será um grande intercâmbio cultural e abrirá um novo mercado para a sua empresa."

O fato ocorreu nos anos 1960, em plena Guerra Fria. A firma concordou, pois não era um grande investimento e talvez desse bons resultados. Kevin viajou para a Rússia (então parte da União Soviética), aprendeu a língua e acabou organizando lá inúmeros torneios de *frisbee*, como embaixador da boa vontade. E até se casou com uma russa.

Como não conseguia achar um trabalho condizente, Kevin fez aquilo de que gostava e encontrou alguém disposto a lhe pagar por isso. Sua vocação, por alguns anos, tornou-se sua carreira.

Nem todos conseguem concretizar uma carreira (e uma vocação) com base numa ideia repentina, mas a vida de Kevin mostra que isso é possível.

A história de Stuart Anders constitui outra abordagem da carreira e da vocação.

Conheci Stuart Anders quando comecei meu período de quatro anos como instrutor de ginástica na Universidade de Stanford. Com entusiasmo e dedicação, estava disposto a fazer o necessário para transformar uma equipe fraca em atletas de alto calibre. Tinha 22 anos e, como muitos atletas da minha idade, pensava ser à prova de balas. No ano anterior, eu ajudara a preparar o time de ginástica da Universidade da Califórnia, Berkeley, para seu primeiro campeonato nacional universitário, de modo que minhas expectativas e padrões eram elevados.

Antes da primeira reunião com a equipe, o diretor de atletismo me chamou de lado e explicou: "Dan, pelos últimos dez anos, um tal Stuart Anders tem aparecido aqui como voluntário para a função de assistente de treinador. Você não o conhece, mas é um bom sujeito e inteiramente confiável. Só praticou um pouco de ginástica, há anos, mas gosta de esporte. Você é quem decide, é claro, mas seria um belo gesto se o deixasse ajudá-lo em alguma coisa". Prometi recebê-lo e ver o que poderia fazer por ele.

Stuart era um cara descontraído, tranquilo, com uma personalidade cativante e que chegava todos os dias na hora certa. Não tínhamos muito tempo para conversar, já que ambos nos dedicávamos muito aos treinos. Mas, aparentemente, iríamos nos dar bem.

Um belo dia, um ou dois meses depois, Stuart se atrasou uma hora. Pediu desculpas, dizendo que estivera dando umas voltas de avião e um problema o impedira de chegar a tempo. Curioso e um pouco surpreso ao saber que ele tinha licença para pilotar, perguntei: "Em que avião você voou? Cessna ou Piper Cub?"

"Não, foi um aparelho bem maior", respondeu Stuart. "O novo modelo da Boeing, chamado 747. Precisei testar sua trajetória de pouso." Descobri então que ele era engenheiro aeronáutico e piloto de testes da NASA, e trabalhava no Moffett Federal Airfield da vizinha Mountain View. Descobri também que restaurava Porsches antigos como *hobby* e estava construindo um jato experimental de um só lugar, peça por peça, em sua garagem.

Perdi imediatamente a arrogância de um rapaz de 22 anos ao pensar que meu assistente voluntário se desculpara por estar um pouco atrasado. Eu só conhecera Stuart por uma de suas vocações — ajudar jovens ginastas a aperfeiçoar sua técnica —, embora ele dedicasse a maior parte do dia a outra vocação e carreira profissional, testando aviões de tecnologia avançada.

Veremos agora alguém que escolheu um caminho diferente, em resposta à sabedoria do seu coração e ao chamado da solidariedade.

Julia Marsala é uma mulher inteligente, ativa, que gosta de ler e está sempre bem informada. No colégio só tirava notas altas, mas na faculdade, como muitos alunos de artes liberais, não tinha um objetivo profissional muito claro e mudou de curso várias vezes. Apesar da falta de rumo e ambição, Julia cultivava uma sólida ética do trabalho e estava sempre disposta a ajudar o próximo. Quando criança, trabalhava todos os dias, depois das aulas, num mercadinho; no colégio e na faculdade, teve vários empregos sem a necessidade prática de ganhar dinheiro. O tipo de trabalho era menos importante que a vontade de ser útil. Esse espírito de solidariedade lhe dava imensa satisfação, tornando suas tarefas, por mais humildes que fossem, valiosas e significativas.

Depois de se formar na universidade, Julia foi lecionar como voluntária numa escola, enquanto ganhava seu dinheiro como garçonete. Os anos passavam e ela continuava indiferente à ideia de encontrar uma profissão. Na verdade, nunca precisou disso porque o trabalho parecia vir sempre ao seu encontro. Casada, foi guarda-livros durante algum tempo para ajudar o marido, que andava à procura de sua própria vocação e carreira.

Com o nascimento do primeiro filho, a vocação de Julia mudou naturalmente para o papel de mãe. Dedicou-se conscienciosamente às tarefas domésticas, enquanto o marido se encarregava de ganhar o dinheiro. Ele trazia a massa; ela assava o pão, proporcionando alicerce emocional para a família. Encarnava o ditado: "Serviço de casa não tem fim". A vida de Julia era definida ou confinada pelas paredes do lar. Quando seus filhos entraram para a escola, ela passou a trabalhar meio expediente até que a renda do marido melhorasse. E durante os anos de estudo das crianças, antes da faculdade, ela sempre se apresentou como voluntária para trabalhos em escolas. Sua vida não era apenas cheia; era um emprego de tempo integral.

Com o passar dos anos, Julia desenvolveu o gosto por mitologia, área em que chegou a se tornar proficiente. Frequentou vários cursos, leu vários livros sobre o assunto e fez suas próprias pesquisas. Acabou dando palestras para pequenos grupos. Mas seus estudos eram uma vocação, não uma carreira — simples faceta num amplo leque de papéis, pois continuou devotada à missão mais importante de ajudar o marido, os filhos e o mundo à sua volta.

Nem todas as pessoas decidem ter filhos, mas as que o fazem precisam às vezes interromper a busca de uma carreira para cuidar deles como tarefa principal. Algumas voltam depois a trabalhar fora; outras encontram, no papel de pais, uma vocação perene. E outras ainda, como Julia Marsala, vivem vidas plenas e significativas sem precisar se definir por uma carreira, ajudando o próximo conforme as circunstâncias.

A narrativa a seguir descreve as múltiplas — e apaixonantes — carreiras e vocações de uma das pessoas mais intrigantes que conheci.

Eu era professor universitário e ensinava diversas formas de cultura física quando Charles Edward se matriculou em meu curso de salto de trampolim. Pareceu-me um candidato improvável para qualquer prática de ginástica, pois sua constituição era mais a de um jogador de futebol americano ou de um urso pardo. Na verdade, jogava mesmo futebol americano e hockey de campo, sendo além disso membro do clube de aikidô da faculdade e mecânico de motocicletas em meio expediente. Mas Charles era também um rapaz brilhante. Perto do fim de seu último ano, inscreveu-se em diversas faculdades de medicina.

Perdemos o contato por quase uma década. Eu soube então que se tornara não apenas médico, mas pediatra de alto nível especializado em cirurgia cardíaca, responsável por alguns dos primeiros transplantes de coração. Casou-se com Marie, também médica e pesquisadora, e teve três filhos. Charles era faixa preta de terceiro grau em aikidô e estava no auge da carreira quando decidiu abandonar a vida agitada da cidade grande por um consultório pequeno no interior.

A vida correu fácil para Charles e sua família durante alguns anos. Certa vez, quando trabalhava na garagem com uma serra circular, fazendo uma gaiola de pássaros para um dos filhos, escorregou numa mancha de óleo e caiu. Quando se sentou, descobriu que dois dedos de sua mão direita (ele era destro) tinham sido cortados. Depois que se recuperou do ferimento, começou a praticar intensamente com a mão esquerda o manejo de instrumentos cirúrgicos e suturas, mas ficou claro que jamais voltaria a operar como antes.

Depois de refletir bastante, Charles resolveu estudar Direito. Talvez não seja surpresa que ele tenha editado a revista jurídica de sua faculdade e se graduado com mérito. Especializando-se em medicina legal, trabalhou durante anos em administração hospitalar.

Charles foi cirurgião, advogado e administrador hospitalar prestigiado, bem como *sensei* de alto nível em aikidô. Ele e a esposa puderam acompanhar o crescimento dos filhos até que escolhessem suas próprias vocações e carreiras. Charles está agora considerando a possibilidade de um novo empreendimento: um curso de teologia. Ele exemplifica não apenas uma vida bem vivida a serviço dos semelhantes como também uma existência reinventada em resposta às circunstâncias mutáveis.

Certa vez lhe perguntei: "Como acha tempo para fazer tanta coisa?" A resposta pode ser um lembrete útil a todos nós: "Nunca *acho* tempo, por isso eu mesmo o faço". A história de Charles revela o que é possível empreender quando o envolvimento apaixonado com a vida se combina com a aplicação concentrada da energia. Em seu caso, o próprio esforço se tornou vocação.

Apesar do ditado "a vida começa aos quarenta", podemos ter uma experiência de renascimento décadas mais tarde. Aposentados que encerraram sua carreira às vezes descobrem uma nova vocação. Vejamos o que aconteceu com Bud Gardner.

Bud Gardner, ex-professor universitário de inglês, escritor e professor particular de literatura, preparava-se para seguir sua vocação e jogar golfe depois da aposentadoria. Certo dia, leu num artigo que aprender a tocar um instrumento musical é bom para o cérebro (e o humor) em processo de envelhecimento. Assim, para sua própria surpresa, viu-se comprando uma gaita.

Aquilo, porém, não ocorreu inteiramente ao acaso; por dezesseis anos ele já executara velhas canções famosas nesse instrumento, que aprendera a tocar com o pai. Entediando-se logo com as mesmas três músicas que sabia, colocou um anúncio no jornal local à procura de um professor com quem pudesse se desenvolver mais. Depois que umas vinte pessoas deram as caras em seu primeiro encontro, nasceu o grupo "Harmonicoots" — os Coots, para simplificar. Pelos sete anos seguintes, o grupo — sessenta homens e mulheres com mais de 55 anos — se reuniu semanalmente com três objetivos: divertir-se, aprender canções novas e tocar juntos.

Desde então, realizaram mais de 250 apresentações em casas de repouso, hospitais, desfiles, escolas primárias e igrejas, muitas vezes arrancando lágrimas dos ouvintes agradecidos. Os Coots têm agora a missão de "atrair o mundo" para as alegrias de tocar, inspirando e estimulando jovens e velhos a uma vida de gozo musical. Ajudaram pacientes em hospitais a melhorar sua capacidade respiratória; animaram feriados executando hinos; e alguns membros viajaram pelo mundo inteiro.

O que começou como passatempo de aposentados se transformou numa nova vocação — e poderia ter se tornado uma carreira tardia, exceto pelo fato de Bud e os Coots usarem toda a renda auferida para comprar gaitas que doam a alunos de escolas primárias. Graças aos Coots, esses alunos usufruem de um novo sopro de vida.

A última história é a de um jovem que seguiu sua vocação para realizar algo grandioso contra todas as expectativas.

Em 2001, após um desastroso período de seca em sua aldeia do Malawi, William Kamkwamba, de 14 anos, precisou sair da escola porque os pais já não conseguiam pagar as mensalidades. Tudo o que podiam se permitir para o sustento da família, com o pouco que ganhavam, era uma refeição diária.

O jovem William passava o dia na biblioteca local, fascinado por um livro sobre moinhos de vento. Não conhecendo muito bem o assunto, achou que conseguiria construir um moinho para a aldeia com velhas baterias de carro, peças de bicicleta, hélices de trator e tubos de plástico. Tábuas de seringueira rejeitadas serviriam para a torre. Os pais e conhecidos acharam que ele ficara maluco, mas essas desconfianças apenas fortaleciam sua determinação juvenil.

Três meses depois, William iluminava a casa com uma lâmpada alimentada por seu primeiro moinho. Depois, construiu mais quatro para a aldeia, inclusive um na escola local, onde ensinou aos outros alunos sua técnica. Isso resultou em eletricidade para todos os lares, permitindo que as famílias bombeassem sua própria água — presente que se tornou um tesouro para a comunidade.

A história de William e as outras que a precederam são apenas alguns exemplos, entre milhões, de casos de vocação e carreira, cujo número é tão interessante e variado quanto o de pessoas existentes no mundo. No entanto, a melhor história é a sua. Suas lembranças pessoais são seu tesouro — e cada história, cada lembrança pode proporcionar momentos de aprendizado.

No fim das contas, pouco importa se carreira e vocação são uma coisa só ou constituem partes separadas de sua vida. Num mundo ideal, ambas se fundiriam — e nós nos sentiríamos impelidos, como que do alto, para o trabalho diário. Mas este é o mundo real, onde nem sempre a vocação se transforma numa carreira e nem toda carreira responde a uma vocação. A maioria das pessoas vai para o trabalho, consagra a ele seu tempo, tira dele o melhor e fica pensando em fazer, nas horas vagas, algo apenas por amor.

Há, sem dúvida, benefícios em *não* nos concentrarmos unicamente na carreira. Quando o trabalho é "só um emprego" que deixamos para trás todas as tardes, o mais provável será que não fiquemos demasiadamente estressados nem definamos nosso valor pelas tarefas executadas — ainda que nos esforcemos para executá-las bem. Nossa família se beneficiará do tempo, atenção e energia extras que, nesse caso, conseguiremos devotar a ela.

O equilíbrio entre carreira, vocação e família obviamente muda com o tempo, de modo que reavaliá-lo e readaptá-lo pode transformar crises de meia-idade em correções de curso, abrindo espaço para o reabastecimento e a recarga. Manter esse equilíbrio envolve um processo de autoexame e lucidez que amadurece com o tempo.

Autoconhecimento e escolhas de carreira

Há milênios, o legislador ateniense Sólon disse umas poucas palavras de orientação que ecoaram ao longo das épocas: *Conhece-te a ti mesmo*. Essa frase estava gravada no frontão do templo de Apolo, em Delfos, e foi atribuída a muitos outros sábios, inclusive Heráclito, Pitágoras e Sócrates (para quem "não vale a pena viver uma vida sobre a qual não refletimos"). Por que esses sábios colocaram a autoconsciência acima de qualquer outra virtude humana? Talvez porque a autoconsciência fundamente todas as nossas escolhas e decisões (na educação, no trabalho, nos relacionamentos) e, por isso, modele nossa vida.

No colégio e na universidade começamos a aprender, compulsoriamente, algo sobre nossos interesses e aptidões. Descobrimos, em parte, se somos um burro de carga ou um inovador, se gostamos das ciências ou das artes liberais. Mas quase sempre é necessário mais tempo para discernir o que de fato *queremos* daquilo que, em nossa opinião, *deveríamos* fazer (para agradar aos nossos pais ou conquistar *status* e respeito).

Se o autoconhecimento fosse fácil ou automático, então, a maioria de nós tomaria decisões claras e sábias sobre estudo, carreira, parceiros etc. Infelizmente, e com maior frequência na casa dos vinte, nossas escolhas são precipitadas — uma mistura de esperanças e palpites. Empregos e relacionamentos se tornam uma série de experiências de aprendizado, enquanto a vida não decorre do jeito que esperávamos ou planejávamos. (Se soubéssemos então o que sabemos hoje...)

A maior parte dos jovens de vinte e poucos anos deixa a universidade com um autoconhecimento muito limitado, um diploma na mão e esta pergunta nos lábios: "E agora?" Ao longo da "década de tentativas" que corresponde à casa dos vinte — ora tentamos isto, ora aquilo —, fazemos um grande esforço para nos entender e encontrar nosso lugar no mundo.

A escolha da carreira

Decidir é uma habilidade fundamental na vida e, como a do parceiro, a escolha da carreira é uma das mais importantes que temos de fazer. Decisões exigem autoconhecimento. De outra forma, você pode tomar a decisão certa em nome da pessoa errada — a que espera ou acredita ser, não a que realmente é.

Não há uma carreira melhor — apenas a mais conveniente numa dada etapa de nossa vida. Existem pessoas satisfeitas e insatisfeitas em qualquer profissão: médicos, encanadores, cabeleireiros, advogados, vendedores, professores... Vida é experimento, laboratório de autoanálises. Assim, até você encontrar uma vocação realmente satisfatória, contente-se com um emprego. Escolha a melhor opção disponível no momento. Mas, enquanto isso, continue aberto a novas oportunidades até se sentir pronto para uma carreira ou vocação que possa desempenhar por um período considerável de tempo. Hoje em dia, não é incomum alguém tentar diversas carreiras no curso de sua vida profissional.

Minha própria busca

Em minha própria busca de vocação e carreira, percorri um caminho acidentado. Depois de concluir o curso superior, vendi seguros de vida em Los Angeles durante dois meses até que me foi oferecido um cargo de treinador na Universidade de Stanford. Após quatro anos bem-sucedidos, convidaram-me para fazer parte do corpo docente do Oberlin College. Em termos profissionais, eu achava estar levando uma boa vida — treinador-chefe aos 22 anos, em seguida professor universitário —, mas resolvi voltar para Berkeley e lecionar num instituto espiritualista por seis meses.

Depois, minha vida mudou da água para o vinho. Ensinei ginástica em meio período na ACM de Berkeley (três meses), fiquei desempregado (dois meses), quase entrei para a marinha e acabei numa comunidade mística (com idas e vindas, oito anos), tempo durante o qual trabalhei como datilógrafo (despedido após quatro meses), lecionei numa pequena academia de San Francisco (seis meses), mudei-me para Atlanta a fim de preparar um time de ginástica feminino (nove meses), frequentei um curso de psicologia na Califórnia (quatro meses), matriculei-me numa escola de escrivães jurídicos em San Francisco (quatro meses), ensinei artes marciais/acrobacia para uma turma da ACM de Berkeley (três meses), fui técnico de uma equipe de ginástica feminina na Universidade da Califórnia, Berkeley (dois anos) e voltei para o Oberlin College (dois anos), onde minha esposa, Joy, trabalhava como gerente de dormitório e onde redigi o rascunho final de *O Caminho do*

Guerreiro Pacífico. Logo depois da publicação, o livro se esgotou e voltei para a área da baía de San Francisco. Ali, encontrei trabalho temporário no setor de informática do Bank of America e passei os próximos onze meses fazendo processamento de textos para uma empresa de administração, antes de conseguir dois empregos como digitador — um das 5 às 8h30, outro das 9 às 17 horas. Esses dias infindáveis de trabalho duraram oito meses, até que encontrei um cargo administrativo, onde fiquei um ano. Então, em 1983, iniciei meu próprio negócio como instrutor de ginástica.

Só em 1984, aos 38 anos de idade, quando saiu a nova edição de *O Caminho do Guerreiro Pacífico* e os comentários positivos foram se avolumando, é que criei alguns programas de rádio sobre o assunto e passei a dar palestras. Finalmente, eu havia encontrado minha vocação e carreira: escrever, ensinar e dar palestras.

Dizem que são necessários dez anos para alguém se tornar "um sucesso repentino". No meu caso, precisei de dezesseis, cheios de experimentações e incertezas — bracejando até aprender a nadar. Portanto, o que comunico aqui não são teorias abstratas. Estive nas trincheiras; busquei ansiosamente, vivendo períodos de desorientação e incerteza. Esses anos de busca, vistos em retrospecto, foram uma fase necessária de introspecção e autoexame.

Na busca de uma carreira ou vocação, somos como motoristas dirigindo no escuro: só enxergamos até onde chega a luz dos faróis do carro. Enquanto isso, quanto mais compreendermos a nós mesmos, mais facilmente seguiremos nosso caminho. O autoconhecimento é sem dúvida o núcleo da sabedoria — e a sabedoria se conquista com o tempo.

Talentos, interesses e valores

O caminho para a carreira e a vocação é como uma caça ao tesouro — e num cruzamento, onde três qualidades principais se encontram, você avistará uma placa informando a direção do trabalho que mais provavelmente condiz com seus anseios. Podemos exprimir essas qualidades com três perguntas, cujas respostas exigem tempo e experiência para ser totalmente compreendidas: *Quais são os meus talentos? Quais são os meus interesses? Quais são os meus valores?*

Talentos

Em meu primeiro ano na faculdade, intrigava-me o fato de algumas mulheres parecerem não perceber que eu existia. Sondei-as e finalmente captei a mensagem: elas apenas não estavam interessadas. Ao mesmo tempo, minha tendência era ignorar as que se mostravam amistosas comigo. Quando expliquei minha situação a um colega, ele disse algo de que nunca me esqueci: "Dan, certas garotas não gostarão de você por mais que tente atraí-las e outras o aceitarão do jeito que é. Valerá a pena, então, perder tempo com as que não o querem?"

Essa história e esse conselho se aplicam também à busca da carreira. Por uma série de razões, muitas pessoas vão atrás de empregos que não correspondem aos seus talentos, esperando se adaptar à situação — mais ou menos como comprar uma roupa e depois tentar ajustar o corpo a ela. Não há nada de errado em experimentar diversos tipos de trabalho; mas por que não seguir uma carreira condizente com seus talentos inatos e habilidades adquiridas?

Algumas pessoas se saem melhor no esporte ou na matemática do que no inglês ou nas artes; ou o contrário. Como disse Will Rogers, "Todos somos ignorantes, só que em matérias diferentes". Ao procurar uma carreira, é natural que desejemos saber o máximo possível sobre ela, diretamente ou *on-line* — e mesmo consultando profissionais da área. Porém, mais importante ainda, precisamos "pesquisar a nós mesmos". Uma parte decisiva do autoconhecimento é a avaliação realista de nossas forças e fraquezas, reveladas com o tempo na escola da experiência. Isso me lembra uma história:

Eu corria para tomar o ônibus do clube até o local onde estava acontecendo o campeonato de ginástica no qual eu competiria na manhã seguinte, quando passei pelo velho posto Texaco. Logo que Sócrates me viu, acenou para que eu entrasse na garagem e me passou uma pesada caixa com latas de óleo de motor. Já ia lhe perguntar onde queria que a pusesse quando ele disse: "Apenas segure por um minuto" — e colocou outra caixa por cima da primeira. Eu mal conseguia aguentar o peso das duas, mas Sócrates, ignorando minha expressão de cansaço, começou a empilhar latas de óleo por cima das caixas, que eu segurava com braços trêmulos. "Sócrates", gemi, "não estou..."

Meus braços vergaram; caixas e latas rolaram pelo chão aos meus pés. Fitei-as e ergui os olhos para Sócrates, que parecia impassível. "Está bem", disse eu, "isso foi uma espécie de teste, não? E não passei..."

Quando parou de rir da minha cara amarrada, Sócrates explicou: "A vida não é uma questão de sucesso ou fracasso, Dan; é uma questão de tentar ir mais longe. Como você conhecerá seus limites se não colocá-los à prova? E como irá colocá-los à prova se não estiver disposto a fracassar com distinção?"

A competição do dia seguinte foi uma da melhores de minha vida porque testei meus limites e descobri a verdade das palavras de Sócrates. O dramaturgo e orador George Bernard Shaw escreveu certa vez: "Aprendi a falar em público como aprendi a andar de patins ou bicicleta: bancando o bobo até me acostumar com a situação".

Nunca trace limites para si mesmo antes de pô-los à prova. Talvez não lhe falte talento e sim experiência. A impressão que temos do grau de nosso talento — mesmo na infância — pode estar baseada no fato de ele ainda não ter sido suficientemente testado ou, então, num único acontecimento. Há alguns anos, acompanhei minha filha à aula de ginástica para crianças, dada por um professor novo. Ele colocou todas as meninas em fila e disse-lhes que já era tempo de aprenderem a fazer estrelas. Pediu que levantassem os braços, adiantassem uma perna e, "virando sobre si mesmas", tentassem a manobra. As meninas tentaram, uma depois da outra. Minha filha, como algumas outras, fez a estrela com a maior facilidade e perfeição, pois já tinha experiência. Mas muitas nunca haviam arriscado aquele movimento e, como principiantes, naturalmente caíram várias vezes. Um instrutor habilidoso procuraria ajudá-las com dicas mais úteis; aquele, porém, se limitou a dizer-lhes que "mantivessem a cabeça levantada e os braços estendidos". Elas caíram de novo. Como pai, não me cabia assumir a aula. Só me restava observar a frustração e o desapontamento no rostinho das pobres garotas, enquanto elas iam aos poucos se convencendo de que não eram tão talentosas quanto as colegas.

Você também formou convicções sobre seu talento (ou a falta dele) em matemática ou canto, culinária ou esporte, arte ou interpretação de textos. Talvez elas estejam corretas — ou talvez não. Entretanto, se quiser mesmo se dedicar, até um talento modesto, associado ao esforço, pode se desenvolver consideravelmente com o passar do tempo. Mas terá de investir esforço e paciência numa área de interesse duradouro.

Em todos os campos, há pessoas talentosíssimas, mas com pouco interesse — e outras com muito interesse, mas quase nenhum talento. Das duas situações, o interesse (ou a paixão) por uma dada tendência talvez seja o fator mais importante.

Interesses

Você talvez imagine que o interesse é fácil de determinar. Afinal, ou se interessa por uma coisa... ou não! Todavia, o nível de interesse é muitas vezes complicado por crenças sobre sua capacidade numa dada área: ou seja, pelo conceito que tem de si mesmo. Por exemplo, eu fiquei "menos interessado" em pintura porque concluí, erroneamente, que não era muito bom nisso. Aconteceu assim:

Entrei para o jardim de infância com uma ou duas semanas de atraso devido a um resfriado. No primeiro dia, deram-me tinta, pincel e cavalete para que eu pintasse uma árvore. Esta ficou parecendo um pirulito verde, mas ainda assim gostei de minha obra — até compará-la com as árvores dos colegas, que tinham folhas e galhos definidos. Sem saber que eles já vinham pintando o mesmo motivo quase todos os dias, concluí precipitadamente que não era tão bom quanto eles. Assim, no dia seguinte, ante a opção de pintar ou subir no trepa-trepa, adivinhem o que escolhi. Meu interesse por aquele brinquedo aumentou com a habilidade que fui adquirindo e a pintura ficou inteiramente de lado. Assim, devido a um mero erro de interpretação, saí do caminho da arte e enveredei pelo da ginástica.

Afora essa complicação básica que é a influência, sobre nossos interesses, de um autoconceito frequentemente distorcido, passamos boa parte da adolescência e o começo da juventude separando o que nós (ou nossos pais e colegas) achamos que *deveríamos* ou *poderíamos* ser daquilo que realmente *gostamos* de fazer. Quantas vezes não vimos decisões equivocadas afastarem alguém de uma vocação só porque lhe disseram que ela "não tinha futuro"?

Muitos vencedores chegaram ao último patamar de sua escada profissional impelidos por pressões sociais ou expectativas familiares, só para descobrir que ela não estava "encostada na parede certa". Por exemplo, conheço dois ex-advogados que mudaram de profissão no meio do caminho — um deles iniciou uma longa e bem-sucedida carreira como instrutor de natação na Universidade de Stanford e o outro se tornou um quiroprático esportivo dos mais conceituados, entre cujos clientes estão uma famosa companhia de balé da cidade e uma equipe de atletas profissionais.

Portanto, examine com cuidado quais tipos ou áreas de atividade lhe agradam realmente, pois o interesse é uma placa visível em todos os cruzamentos profissionais. Adverti minhas filhas: "Façam o que acharem mais gratificante e encontrem alguém disposto a lhes pagar por isso".

Valores

Nós, seres humanos, somos propensos a adotar valores divergentes. Algumas pessoas cultivam valores mais puritanos (negam suas tendências e adiam o prazer) — elas seguem as regras. Outras valorizam um estilo de vida mais hedonista (são autoindulgentes e querem gratificação imediata) — elas seguem os impulsos. Há as sentimentais e as que exibem um caráter mais firme, mais rígido. E não falta quem banque o lobo solitário ou a borboleta social, o crente ou o cético. Esses valores, juntamente com os interesses e talentos, nos impelem ao longo da carreira e dos caminhos de vida.

Uma combinação exclusiva de valores — aquilo que lhe parece certo, ético e meritório — inspira suas decisões e comportamento. Não quero dizer que um conjunto de valores seja melhor que outro. Lembre-se das regras da escola da vida: elas não tratam do certo ou do errado, mas das escolhas e das consequências.

Seu principal valor

No caminho do autoconhecimento, na esfera da carreira e da vocação é vital descobrir qual destes três critérios ou valores é mais importante para você: lugar, relacionamento ou carreira. A maioria das pessoas considera os três igualmente importantes; entretanto, se você tivesse de escolher um e subordinar (ou sacrificar) os outros dois a ele, qual escolheria? Refletindo sobre sua vida e escolhas, talvez perceba que um se destacou entre todas as áreas de sua escala pessoal de valores. Consideremos alguns breves exemplos.

Lugar: a estrela de Rebecca aponta para Boulder, Colorado, cidade que atrai sua imaginação. Quer ir para lá de qualquer jeito. E uma vez em Boulder, conhecerá pessoas e encontrará um emprego qualquer; mas, para ela, emprego e pessoas são o que menos conta.

Relacionamento: Jason é carpinteiro e pode trabalhar onde quiser. Sua parceira, que está terminando a faculdade, se inscreveu em diversos programas de residência médica. Ele ama sua esposa e considera que tudo gira em torno disso. Para Jason, o que importa é a família e não onde ela esteja. Ligou-se mais a uma pessoa do que a qualquer lugar deste mundo, pouco lhe importando a cidade em que exercerá sua profissão.

Carreira: Elizabeth é devotada ao trabalho, que atende a seus objetivos e dá significado à sua vida. Trabalhará em qualquer lugar se isso for útil para sua carreira e ali ela puder formar um círculo de amigos com que possa conviver nas horas vagas.

TODOS TEMOS VALORES DIFERENTES e, de acordo com eles, fazemos nossas escolhas. Há alguns anos, uma amiga e colega, professora numa faculdade do Meio-Oeste residia no *campus*, enquanto o marido trabalhava como advogado do governo na Costa Oeste. Amavam-se muito. Ela ia visitá-lo frequentemente e ele fazia o mesmo. Mas os empregos (e os lugares onde tinham de trabalhar) tinham precedência sobre a vida em comum — uma escolha de ambos, baseada em seus valores e circunstâncias.

Nossos valores de lugar, pessoas ou trabalho não estão necessariamente definidos para a vida inteira; podem mudar com o tempo. Por exemplo, se Rebecca, tão entusiasmada por Boulder, encontrar o amor de sua vida e ele receber a oferta de um emprego excelente em outro estado, nossa amiga terá de repensar seu valor principal.

Na literatura, no cinema e na vida, *o caráter e os valores são revelados pelas escolhas que as pessoas fazem sob pressão.* O autoconhecimento — neste caso, saber qual é nosso valor principal — ajuda-nos a tomar decisões claras e essas decisões, por sua vez, ampliam o autoconhecimento. Como escreveu E. M. Forster, "Só sei o que penso depois de ver o que faço".

Critérios para a escolha de uma carreira: a trindade das necessidades

Conhecer nosso valor principal é apenas um aspecto do autoconhecimento e da escolha da carreira. Será preciso também avaliar uma carreira potencial segundo três critérios básicos: *Acho o trabalho agradável? Aceitando-o, posso ganhar muito dinheiro? Ele presta serviços úteis?* Essas perguntas se referem a três componentes essenciais de uma vida profissional gratificante. Dois deles às vezes parecem bastar por algum tempo, mas os três são geralmente necessários para uma carreira satisfatória a longo prazo. A falta de um ou mais desses aspectos básicos (além de chefes injustos e incompetentes ou políticas empresariais repressivas) é a causa mais comum de aborrecimentos ou queixas no local de trabalho.

Trabalho satisfatório

Nos Estados Unidos e no resto do mundo, durante a Grande Depressão dos anos 1930, homens e mulheres famintos iam a qualquer lugar e faziam qualquer coisa (de preferência legal) para ganhar alguns trocados. Meu pai se tornou adulto nesses anos difíceis. Quando, certa vez, lhe perguntei se estava contente com seu trabalho, ele ficou meio confuso por um instante e respondeu: "Nunca pensei nisso". Para ele, contentamento não fazia parte da equação profissional. Seu propósito era amparar a família da melhor maneira que pudesse.

Muitos imigrantes, ainda hoje, fazem qualquer trabalho que esteja disponível, sem perguntar se ele corresponde à sua sensibilidade estética. No entanto, sentem-se realizados e úteis pelo fato de conseguir com isso cuidar da família e garantir melhores oportunidades para os filhos. O mesmo é verdadeiro para muita gente de todas as partes do mundo, nos dias atuais. Mas as pessoas que contam com um amplo leque de opções e oportunidades de trabalho — graças ao empenho de pais e avós, melhor educação e mais qualificações — podem refletir sem pressa sobre o problema da "vida certa" e procurar um trabalho à altura de seus talentos, interesses e valores.

Não existe uma vocação melhor, apenas uma vocação conveniente para determinada pessoa. Certos tipos de trabalho exigem mais força e habilidades físicas, outros requerem mais esforço mental; algumas carreiras pressupõem contato com o público, outras podem ser exercidas solitariamente; e outras ainda, muito especiais, conferem *status* e reconhecimento social. Há gosto para tudo. A literatura zen e taoista está cheia de açougueiros iluminados e artífices sábios — para não falar daquele carpinteiro de Nazaré que também encontrou uma vocação superior.

O que você faz importa, mas *como* faz importa mais ainda. *Nossa realização não vem do trabalho em si, mas sim da qualidade e do cuidado com que realizamos nossas tarefas.* As pessoas orgulhosas da perfeição de seu trabalho, por mais humilde que este seja, atingem um estado de absorção meditativa que faz o tempo voar e pode, por si mesmo, ser altamente gratificante.

No Japão, há algum tempo, esperando o trem-bala, notei um empregado da estação limpando cuidadosamente uma das mais de cem colunas da grade que corria por todo o comprimento da plataforma. Lá ia ele polindo as colunas, dedicando cerca de trinta segundos a cada uma, certificando-se de que ficara brilhante e sem manchas antes de passar à seguinte. O homem mostrava uma concentração de mestre zen enquanto cumpria zelosamente sua tarefa, na qual se absorvera por completo. Poucas pessoas acharão que polir colunas seja um trabalho criativo ou satisfatório e talvez o homem nem sequer houvesse sonhado com ele na infância. Mas, pelo que percebi, o orgulho que sentia transformava seus esforços numa obra de arte. De certa forma, ele estava polindo também seu espírito.

Portanto, tenha em mente que você não apenas *encontra* uma carreira satisfatória, mas também a *cria* — como aquele mestre zen na plataforma da estação.

Um bom dinheiro

Aquilo que consideramos uma "boa renda" varia conforme as habilidades, a experiência e as circunstâncias de cada um. Mas, seja qual for o caso, a remuneração deve parecer justa, adequada ao trabalho executado e suficiente para atender às nossas necessidades. De outro modo, a menos que sejamos masoquistas ou santos, provavelmente não toleraremos passar muito tempo ganhando muito pouco.

Existem, é claro, outras formas de compensação além do dinheiro. Podemos aceitar um trabalho, em troca de salário mínimo, por causa da beleza das imediações, do plano de assistência médica ou de outros benefícios, quando não por acreditar na missão do empregador.

Uma mulher que chamarei de Jean veio trabalhar comigo em meio período há alguns anos. Deixara um emprego bem remunerado e estressante numa empresa de *software* no Vale do Silício. À beira da estafa por fazer horas extras à noite e nos fins de semana, vira nosso pequeno anúncio e entrara em contato conosco. Jean lera alguns de meus livros e estava ansiosa por trabalhar numa atmosfera positiva, informal e descontraída; ter seu espaço pessoal; reequilibrar sua vida e repensar suas prioridades. Seu gosto pelo trabalho nunca esmoreceu, mas, após seis meses, ela precisou se mudar de novo — para, como explicou, "encontrar um trabalho mais bem pago, de tempo integral e condizente com seu 'valor de mercado'". Desejamos-lhe boa sorte na conquista da estabilidade que ela procurava, uma posição que atendesse às suas necessidades financeiras sem pressões e exigências excessivas.

Serviço útil

Só conheci duas pessoas que ganhavam bastante dinheiro fazendo um trabalho gratificante sem que o fruto de seus esforços fosse útil ao próximo. O primeiro era um criminoso; o segundo, um jogador profissional de pôquer. (Há quem diga que não há diferença nenhuma entre os dois, mas, com o devido respeito, eu discordo.) Ambos eram aproveitadores que deixavam atrás de si uma trilha de sofrimento e frustração. Um está preso — cansou-se de fugir. O outro talvez continue sentado à mesa de um cassino qualquer por aí, mobilizando o melhor de seus talentos profissionais para arrancar o dinheiro dos trouxas. Ele aprecia vários aspectos desse trabalho e vive muito bem, mas certa vez me confessou que se sentia isolado: como um lobo solitário, suspeitava ter perdido "alguma coisa" na vida, como por exemplo a consciência de ser útil e sociável, de estar ajudando a fazer deste mundo um lugar melhor. É que, quando prestamos um serviço, brota em nós um sentimento de integração e valor intimamente associado à realização plena.

Nem todos nos tornamos neurocirurgiões prontos a salvar vidas, grandes filantropos ou artistas consagrados. A maioria das pessoas faz seu trabalho sem alarde e sem ganhar em troca o reconhecimento que merece. Elas labutam em lojas, pequenas empresas, multinacionais, mercados e jardins, fazendo um trabalho não menos importante que o dos ricos e famosos. Mas quantos de nós temos consciência de nossa importância e do valor de nossos préstimos? Quantos de nós avaliamos corretamente a relevância de nossos serviços?

Para muitos, "serviço" é ajudar voluntariamente os necessitados, fazer caridade, alimentar idosos ou inválidos. Esses são, sem dúvida, atos louváveis. No entanto, os operários que montam fogões, automóveis ou televisores, certificando-se de que as peças se ajustam perfeitamente, de que cada parafuso está firme e de que o produto final é de alta qualidade, também prestam serviços relevantes com suas habilidades, de que outros dependem.

É fácil desmerecer nosso trabalho quando executamos serviços menos criativos, como processamento de dados ou atendimento telefônico em pequenas e grandes empresas. Mas esses serviços nos ligam aos nossos semelhantes e ajudam a máquina do mundo a continuar funcionando. Somos todos elos de uma corrente e cada elo é importante: até o criminoso e o jogador de pôquer, que também acabam aprendendo quais são suas verdadeiras necessidades na escola perene da vida.

ESSES TRÊS CRITÉRIOS ESSENCIAIS — fazer um trabalho gratificante, ganhar um bom dinheiro e prestar serviços úteis — constituem outro aspecto do autoconhecimento que leva a decisões mais sensatas e a uma carreira estável, satisfatória.

Como se decidir por uma carreira: análise e imaginação

Quase todos crescemos num mundo que valoriza preferencialmente a lógica, o raciocínio e o método científico. *Todavia, quase todas as descobertas e revoluções científicas brotam das faculdades imaginativas e intuitivas* (para só depois ser testadas e validadas pelo experimento e a análise).

Acontece que poucas pessoas descobrem uma carreira apelando unicamente para a lógica: elas o fazem por meio de contatos pessoais ou secundários e, não raro, da mera coincidência. Eis um exemplo meu: deixei Berkeley e voltei para Los Angeles com minha esposa grávida e um diploma de bacharel em psicologia. Como tínhamos menos de quinhentos dólares na conta, li vários anúncios de empregos e achei trabalho como estagiário no escritório local da New England Life Insurance. Depois de conseguir o emprego, comprei um terno e fiz o possível para vender apólices de seguros de vida. Após dois meses, constatei duas coisas: primeiro, que vender apólices de seguros de vida talvez fosse excelente para algumas pessoas, mas não para mim; segundo, que precisava sair de Los Angeles e voltar para a área da baía de San Francisco. Assim, pedi demissão, fui a Sacramento, onde deixei minha esposa para uma visita de alguns dias aos pais, e percorri as duas horas que separam essa cidade de Berkeley, onde examinei minhas opções, achando que com minha formação talvez encontrasse um emprego de diretor recreativo ou coisa semelhante. Passei pelo escritório de meu ex-treinador para lhe dar um alô e contar-lhe que estava à procura de trabalho. Ele disse: "Você apareceu bem na hora, Dan. Eu soube esta manhã que em Stanford abriu uma vaga de professor de ginástica. Por que não vai até lá e conversa com o diretor do departamento de atletismo?" Foi o que fiz — e no dia seguinte já estava contratado como professor de ginástica da Universidade de Stanford.

Talvez eu tenha conseguido esse trabalho por sorte ou acaso — mas só cheguei a ele depois de anos de treinamento intensivo na área, confirmando o ditado segundo o qual sorte é o encontro da preparação com a oportunidade. Eu não estava à procura de um cargo de professor universitário de ginástica nem o encontrei por intermédio da razão ou da análise. Na verdade, a lógica não funciona bem quando se trata de tomar decisões profissionais, porque nosso cérebro analítico só consegue ponderar variáveis — prós e contras, vantagens e desvantagens — na tentativa de descobrir um curso de ação razoável. Fazer isso pode gerar, para muitas pessoas, um estado de "paralisia pela análise".

Você já tomou uma decisão racional e acordou no meio da noite ou na manhã seguinte sentindo-se inquieto com aquela escolha sem saber por quê? Talvez seja prudente prestar atenção a seu senso intuitivo antes de tomar uma decisão importante. O ideal é usar tanto a imaginação quanto a razão para solucionar problemas — mas não, necessariamente, ao mesmo tempo. A razão pressupõe uma habilidade intelectual da mente consciente; a intuição reflete o entendimento profundo da mente subconsciente, que envia mensagens à consciente de várias maneiras, inclusive por meio de sonhos.

Durante meu período como treinador em Stanford, um dos ginastas da minha equipe me contou algo que esclarece bem o poder e o valor da mente subconsciente na solução de problemas. Ted falou-me sobre um estranho enigma que lhe fora proposto naquele mesmo dia durante um curso de Distúrbio do

Sono e Sonho do Dr. William. O enigma consistia de oito letras: H, I, J, K, L, M, N, O. Ted não fazia ideia do que aquilo pudesse significar. Deveria ruminar o enigma antes de dormir, com a intenção explícita de solucioná-lo — mesmo não o compreendendo — e depois escrever, logo ao acordar na manhã seguinte, os sonhos que tivera. Ted apareceu bem cedo no ginásio e disse que registrara os sonhos por escrito, mas ainda não sabia quais eram o significado e a solução do enigma. Mostrou-me suas anotações — imagens de um antigo veleiro em meio à tempestade, com ondas chicoteando o casco e a chuva caindo em torrentes. Não fazia sentido algum — até Ted descobrir a resposta do enigma e perceber que sua mente subconsciente na verdade o resolvera com a maior perfeição, sem nenhuma pista consciente sobre o significado do problema. Este, H, I, J, K, L, M, N, O, era composto das letras H a O, ou H_2O, o símbolo químico da água, cujas imagens haviam povoado os sonhos de Ted.

Anos depois, já escritor, vivenciei fenômeno similar várias vezes. Quando não sabia mais o que fazer e minhas ideias emperravam, eu "dormia" sobre elas — e, quase sempre, a solução brotava em minha cabeça depois de eu me levantar no dia seguinte.

Viagem no tempo com a mente subconsciente

O método que se segue lhe permitirá mobilizar tanto a mente consciente quanto a inconsciente para tomar uma decisão mais bem fundamentada com respeito à sua carreira (ou qualquer outro aspecto da vida). De certo modo, você fará uma espécie de viagem no tempo que colocará seus talentos imaginativos a serviço do processo de tomada de decisões.

Com a prática, esse método se torna simples e direto, representando um investimento de apenas dez ou quinze minutos. Você apenas deixa sua imaginação viajar no tempo e consegue, mais facilmente, escolher a melhor entre duas, três, quatro ou mais opções. No entanto, para simplificar a exposição, consideremos alguém que esteja escolhendo entre A e B.

Os exemplos são: Kristen decidindo entre duas faculdades; Mahmoud ponderando se trabalhará na cidade onde mora atualmente com a namorada ou aceitará um bom emprego no estrangeiro; e Maliha avaliando as propostas de dois admiradores que querem desposá-la. Há também Caleb e sua empresa de *software* recém-fundada, que começa a deslanchar: procurará expandir o negócio ou o venderá para uma gigante do ramo? Samantha aceitará um emprego bem pago num escritório de contabilidade ou montará o seu próprio? Curtis terá de escolher entre passar por uma cirurgia de alto risco, seguida de quimioterapia e radioterapia, ou pôr em ordem seus negócios e deixar tudo como está para ver como é que fica. E Sarah procura decidir se o melhor é requerer logo a aposentadoria, para receber o mínimo, ou aguentar mais alguns anos, para receber o máximo.

A decisão que você tem de tomar pode ser parecida ou diferente dos exemplos acima, mas o processo é o mesmo. Aqui vai então o exercício de viagem no tempo.

1. Escolha A. Concentre-se na ideia de que está *plenamente* empenhado em A. Esse passo é essencial.
2. Faça a si mesmo esta pergunta de três partes: Tendo me decidido por A, que farei, como me sentirei e como estarei *daqui a uma hora*?

   Convém anotar as respostas às três partes da pergunta. Podem ser breves, mas ainda assim devem ser anotadas. Se não, ao menos imagine com clareza essas respostas. Veja o que acontece. Sem dúvida, não é tão difícil assim imaginar o que sucederá daqui a apenas uma hora.
3. Faça-se a mesma pergunta de três partes, mas, em vez de *daqui a uma hora*, imagine o que acontecerá *daqui a um dia*. De novo, anote as respostas que lhe ocorrerem.
4. Repita a pergunta, mas imagine o que acontecerá *daqui a um mês*.
5. Idem, mas *daqui a um ano*.
6. Idem, mas *daqui a dez anos*. A essa altura, você talvez diga: "Espere um pouco. Como vou saber o que farei, como me sentirei e como estarei (tendo me decidido por A) daqui a uma década? É tudo produto da minha imaginação". Certo. É tudo produto de sua imaginação — uma ponte para a visão intuitiva. Afinal, por que você imaginaria uma coisa e não outra?

Completado o processo, repita-o para a opção B. Ou seja, diga a si mesmo: "Mas onde eu estava com a cabeça? A opção B é indiscutivelmente a melhor escolha!" Concentre-se nela.

Sinta-a. Você escolheu B: agora, percorra todas as etapas acima mencionadas.

Depois de anotar (e/ou imaginar com clareza) todas as respostas a A e a B (e a C, caso haja uma terceira opção), você terá transformado uma visão restrita numa visão intuitiva mais ampla e profunda. Não quer dizer que terá certeza absoluta, mas estará mais bem preparado para tomar uma decisão firme.

A decisão de decidir

Quase todos achamos que a decisão é um processo e uma conclusão mental — mas, na verdade, nenhuma decisão se concretiza antes de atuarmos sobre ela. Isso ficou claro para mim há alguns anos, durante uma caminhada solitária pelas encostas da Sierra. Estava voltando para o acampamento, pois o sol já se punha atrás de um dos picos, quando cheguei a uma encruzilhada. Não sabia que rumo tomar. Adiantei-me um pouco, examinei o terreno e refleti sobre minhas opções. O caminho da direita parecia mais promissor; mas logo mudei de ideia e escolhi o da esquerda, até minha intuição recomendar de novo o da direita. A incerteza persistiu até o céu azul ficar escuro. Resolvi ir para a direita; para a esquerda — mas não fazia progresso algum. Finalmente, decidi agir e tomei um dos caminhos.

É preciso que você se decida a decidir: e, depois de entrar em ação, fazê-lo com todas as forças de seu ser. Quando titubeamos, prejudicamos a nós mesmos. Como o mestre zen Ummon recomendava a seus discípulos, "Quando forem se sentar, sentem-se; quando forem se levantar, levantem-se — só não fiquem hesitando entre as duas coisas!".

Permaneça comprometido com aquilo que decidiu, a menos que novas razões de peso o aconselhem a mudar de rumo. Se você resolveu atravessar um rio caudaloso de montanha e, a um terço da travessia, percebe que a corrente é forte e profunda demais, uma mudança de planos pode ser não só aceitável como sensata. O mesmo se aplica a qualquer esfera da vida. Se você sofre abusos num relacionamento ou humilhações num emprego, talvez seja hora de reconsiderar a situação e recomeçar num sentido mais positivo, levando em conta seus limites, direitos e amor-próprio. (Há uma diferença entre compromisso e masoquismo.)

Entretanto, para a maioria das decisões que tomamos, mesmo enfrentando dúvidas e dificuldades, compromisso significa ir em frente, persistir apesar dos desafios e continuar confiando em nós mesmos, em nosso curso de ação. *A fé é a coragem de viver como se todos os acontecimentos e todas as escolhas fossem para o nosso bem maior e aprendizado.* A fé é alimentada também pela compreensão superior de que toda escolha acaba levando à sabedoria.

Notas sobre a carreira: de aprendiz a líder

Qualquer visão do nosso segundo propósito — vocação e carreira — deve incluir um exame dos papéis que desempenhamos nos ciclos evolutivos de nossa vida profissional. Eu já fui aprendiz e líder. Você também: em casa, no trabalho e em outras esferas. Quando nos defrontamos com uma tarefa ou responsabilidade nova, defrontamo-nos ao mesmo tempo com os desafios que aguardam o aprendiz, a mente do principiante. A liderança, de seu lado, é mais uma questão de qualidades pessoais que de posição de poder, cargo de responsabilidade ou título pomposo. Você logo descobrirá que é possível demonstrar qualidades de liderança mesmo como aprendiz ou em qualquer etapa de sua carreira profissional.

Agora, estudemos os principais aspectos para os quais se voltará nossa experiência profissional.

Compromisso com a excelência: Você pode ter inúmeras carreiras e vocações no curso da vida. Mas, não importa o que pense de suas tarefas e deveres, o compromisso com a excelência e a qualidade acrescenta significado e valor aos seus dias. Por exemplo, há alguns anos, eu sustentava minha família com dois empregos: digitando como um louco num escritório de advocacia logo ao começo da manhã e, pelo resto do dia, processando dados numa imobiliária. Não eram tarefas criativas nem minhas escolhas de carreira a longo prazo, mas os melhores empregos que pude encontrar na época. Assim, resolvi ser um excelente processador de dados. Lembro-me daqueles tempos sem tristeza (e até com certo orgulho) porque fiz um ótimo trabalho para meu empregador até chegar a hora de partir para outra.

Degraus na escada da carreira: Por que algumas pessoas sobem a escada da carreira, outras se contentam com posições inferiores e outras, ainda, trabalham por conta própria? Poderíamos perguntar também por que alguns atletas atingem o nível olímpico e outros não saem do nível universitário — ou por que algumas pessoas trabalham atrás da câmera e outras, na frente. As respostas seriam fatores como genética, tipo de família, experiência de vida, crenças, grau de autoconhecimento, oportunidades de estudo, condição socioeconômica, modelos de comportamento, amigos e redes, apoio familiar, grau de energia, de disposição, de talento, de inteligência, de exposição, local de residência, situação da economia e certa medida de sorte ou destino.

Sua combinação única desses fatores é que orienta você para um cargo subalterno ou eleva-o à atmosfera rarefeita e de alta pressão que rodeia um executivo.

Quem chega ao cume pode ou não se sentir mais feliz e satisfeito do que quem permaneceu no vale. O importante é encontrarmos o trabalho mais adequado possível (tendo sempre em mente os critérios que já apresentamos), enquanto continuamos abertos a novas oportunidades. Carreira não é casamento; você não precisa se comprometer com seu empregador pela vida toda (nem ele com você). Portanto, não há nada de errado em ficar de olho nas oportunidades que possam surgir em seu campo ou em outro mais condizente com seus talentos, valores e interesses.

Dois segredos de sucesso para quem trabalha por conta própria: Às vezes confidencio às pessoas que tenho um patrão muito exigente: eu mesmo. Se você é seu próprio patrão, analise dois fatores-chave que melhorarão suas chances de sucesso:

1) *Seja bom naquilo que faz* e 2) *Promova bem aquilo que fizer* (ou contrate alguém para esse trabalho). Se tem grandes habilidades para produzir, mas não para se promover, não se esqueça de que seu negócio só poderá ser útil às pessoas se elas souberem que você existe.

Qualidades da liderança

Aprendi sobre as habilidades e responsabilidades da liderança na prática, enquanto lecionava para atletas universitários. Precisava estabelecer padrões elevados, dar dicas, motivar e apoiar os membros da equipe, repreender quando necessário e criar um ambiente produtivo que encorajasse a inovação — ou seja, tinha as mesmas responsabilidades dos CEOs, administradores de alto nível, políticos, pais, treinadores, professores e líderes em qualquer esfera da vida.

Não importa qual o papel que desempenhe no trabalho ou em casa, você influencia as pessoas à sua volta — ensina e lidera pelo exemplo —, porque elas observam seu comportamento. Portanto, a liderança é uma vocação universal que não tem nada a ver com *status* ou grau de autoridade numa organização. Tiranos, ditadores e déspotas às vezes são governantes poderosos e líderes fracos. Alguém pode ser diretor de uma empresa e não possuir os talentos de liderança essenciais, enquanto o funcionário da expedição inspira seus colegas a fazer um trabalho de qualidade. Muitos de nós somos líderes em nosso círculo de parentes ou amigos.

Quais são, pois, as principais qualidades de um líder eficiente? Ao ler o que se segue, descubra se você as demonstra entre seus amigos, entes queridos e colegas.

Como líder, você inspira pelo exemplo. O médico filantropo Albert Schweitzer disse certa vez: "Para influenciar pessoas, o exemplo não é o fator principal; é o único". Nós adquirimos as qualidades que gostamos de ver nos outros.

Como líder, você oferece apoio quando necessário. As pessoas não ligam para quanto você sabe e sim para quanto você se dedica. Dar apoio quer dizer colocar a barra bem alto e perguntar: "Como posso ajudá-lo a atingir essa meta?"

Como líder, você motiva determinando um alvo superior. Você transforma o emprego numa prestação de serviços úteis quando incorpora metas consistentes e de longo alcance ao trabalho que faz. Quando as apresenta, não como metas em si mesmas, mas sim como um meio de evolução pessoal, desloca o jogo para um patamar dignificante.

Como líder, você sabe dar valor aos erros. Ninguém ignora que os erros podem levar a revoluções no pensamento, a ideias brilhantes, a inovações. Por isso, os líderes autênticos estimulam o risco e aceitam os erros criativos no processo de desenvolvimento e aprendizado.

Como líder, você incentiva a colaboração e não a competição. A luta por recompensas, títulos e vantagens exteriores forma profissionais que lembram ratos disputando migalhas de comida — mas "o problema com as disputas dos ratos", zombava a atriz Lily Tomlin, "é que, mesmo vencendo, você continua sendo um rato". Os ambientes altamente competitivos costumam ser chamados de "assassinos de almas" por quem está preso no labirinto. O espírito de competição, que alimenta ambições de curto prazo entre grandes realizadores, pode também levar à estafa e ao ressentimento. Em contrapartida, o espírito de colaboração — quando a contribuição de uma pessoa (apoiada por outras) se reflete na equipe inteira — cria um ambiente de trabalho solidário, produtivo e amistoso, com sistemas flexíveis e informações partilhadas substituindo estratégias de autoproteção.

Como líder, você capacita os demais. Torna-se uma ponte pela qual outros possam atravessar. Lembra à equipe que *ninguém, sozinho, é mais esperto que todos juntos* — e valoriza o que é certo, não quem está certo. Recorrendo não apenas ao cérebro que possui, mas a outros que possa mobilizar, muda o enfoque de "O que ganharei com isto?" para "Qual é o maior bem para todos os envolvidos?".

Como você viverá sua vida?

Examine, por um instante, os misteriosos aspectos do processo que o conduziu até onde você se encontra agora. Examine a longa estrada aberta à sua frente que, como qualquer bom romance, pode lhe reservar surpresas e reviravoltas. À medida que for ficando mais forte e mais sábio graças aos obstáculos do caminho, continue apegado à certeza de que sua vida decorre tal qual deveria decorrer — de que cada solavanco durante a jornada é parte de um processo só seu. Valorize a carreira e a vocação que seguiu, embora sejam humildes; confie nos ritmos variáveis da existência, marcados pelos talentos, interesses e valores que você preza.

Nossa discussão sobre o segundo propósito de vida — *encontrar uma carreira e uma vocação* — começou com um lembrete a respeito das horas de que dispomos por dia. Voltemos agora a essa questão capital e encerremos com algumas amplas perspectivas da vida e do trabalho.

As horas de sua vida são o capital mais valioso que você jamais possuirá. Como pretende gastá-las? Imagine-se ganhador do prêmio máximo da loteria: nunca mais precisará trabalhar por dinheiro. Que fará então com seu tempo? Como será sua vida? Empregará tempo e talento em serviço criativo ao mundo? Ou correrá atrás de diversões, prazeres, viagens e fama, acumulando experiências dos sentidos e posses materiais, jogando com o poder, o *status* e a influência? Suponhamos que, bilionário, comprou tudo o que sempre quis. Em seguida, viajou pelo mundo nos melhores cruzeiros e se hospedou nos melhores hotéis. Adquiriu mansões ricamente mobiliadas e com numerosa criadagem em locais maravilhosos. Quando fica entediado ou impaciente numa delas, pega seu jatinho particular e voa para outra. Enfim, compra (ou manda seu secretário comprar) todos os carros e roupas de que gosta, além de dar os brinquedos mais caros e escolher as escolas mais conceituadas para seus filhos.

E então? Consegue visualizar os próximos movimentos num cenário mais amplo? Que tal jogar *video game* dia após dia? Ter um prazer sensual após o outro? Tirar fotos com os ricos e famosos? E *depois*? Os divertimentos podem afastar praticamente qualquer um da sensação de vazio — por algum tempo. Quando nossa vida estiver perto do fim, que acontecimentos do passado desejaremos lembrar? Assim, continua sem resposta a pergunta que cada um de nós tem de fazer: pode uma vida de prazeres levar à plenitude? A história a seguir aborda essa questão perene.

> Um ladrão chamado Willy, tentando escapar de uma cobertura do trigésimo quinto andar, despenca da escada de incêndio para uma morte certa. Um instante depois, pelo que lhe parece, vê-se num salão de sinuca, sem nenhum ferimento. Conclui então que morreu e subiu ao céu, porque jogar sinuca sempre foi sua diversão favorita. Sentindo-se aliviado e feliz, aproxima-se da mesa e descobre que, de algum modo, se tornou um mestre naquele jogo. Só lamenta que, ali sozinho, ninguém possa admirá-lo encaçapando uma bola após a outra.
>
> Mais tarde, explorando o novo ambiente, descobre uma piscina e executa saltos olímpicos no trampolim de três metros. Em seguida, atravessa a água aparentemente batendo um recorde. Num cassino próximo, onde encontra crupiês sisudos e jogadores silenciosos, entra com uns poucos dólares no bolso e sai milionário — o mais sortudo dos homens vivos. Encontra um hotel e pede a melhor suíte,

pagando um mês adiantado. O dia seguinte é uma repetição bem-vinda do anterior. Compra carros, ganha outra fortuna no videopôquer e conquista seis mulheres exuberantes, após descobrir em si uma virilidade renovada.

Uma semana maravilhosa, um mês muito bom. Mas, à medida que o tempo passa, Willy começa a se sentir entediado pelo fato de ganhar sempre e levar a melhor em tudo o que faz. Ao fim de seis meses, julga que está ficando louco. Decide procurar São Pedro, ou quem quer que seja o responsável pelo local, a fim de exprimir sua insatisfação. Após uma longa busca, chega finalmente ao prédio da gerência. Uma secretária eficiente o introduz num amplo escritório, onde encontra um homem bem-vestido sentado atrás de uma grande mesa de mogno. "Em que posso ajudá-lo?", pergunta o chefão.

Willy desfia então uma longa lista de queixas: o tédio insuportável, as vitórias sem esforço... E conclui: "Nunca pensei que o céu fosse assim".

O homem se levanta devagar, com um brilho avermelhado nos olhos, e pergunta: "Mas quem lhe disse que aqui é o céu?"

As pessoas mais ricas e privilegiadas devem entender bem o dilema de Willy porque, não importam quantos momentos de autogratificação o dinheiro possa comprar, a realização sempre lhes escapa até encontrarem significado, propósito e vínculos sólidos na vida. De fato, um número crescente de bilionários vem doando parte de sua fortuna e celebridades se engajam em causas sociais, usando sua fama para um propósito superior.

Há alguns anos, conheci uma mulher que chamarei de Doris. Ela possuía centenas de milhões de dólares que lhe vinham de uma empresa familiar. Quando a vi pela primeira vez, Doris se enquadrava na imagem que eu fazia de uma "garota rica mimada". Parecia se achar muito importante, mas sua personalidade não era lá essas coisas. Não fazia o mínimo esforço para ser agradável ou mesmo educada. Talvez, de seu ponto de vista, achasse que não precisava observar nenhuma etiqueta. Ignorava os criados da casa que faziam a limpeza e cuidavam do jardim. Dignou-se a conversar comigo apenas porque, leitora ávida, gostara de alguns de meus livros.

Não era nada fácil simpatizar com Doris. Na época, eu ignorava que ela fosse desesperadamente infeliz em seu relacionamento e estivesse totalmente insatisfeita com sua vida. Só muitos anos mais tarde soube que, meses depois do nosso encontro e após um divórcio problemático, ela fizera duas mudanças na vida. Primeira: criara uma fundação filantrópica para ajudar os necessitados. Segunda: passara a trabalhar em meio período numa pequena floricultura. Sempre gostara de flores e agora podia prestar um serviço direto, de pessoa para pessoa. Doris encontrara um novo senso de significado e finalidade na vida, além de uma conexão sincera com o resto do mundo.

Ao contrário de Doris, milhões de pessoas neste planeta nascem pobres. Seu cotidiano é devotado à busca de comida e abrigo. Mohandas Gandhi disse: "Para o homem faminto, Deus é pão". Mas a despeito (ou talvez por causa) de sua luta pelas necessidades básicas, muitos pobres possuem um claro senso de significado, objetivo e conexão quando se juntam em prol do bem comum, fazendo o melhor que podem para cuidar da família e da comunidade.

O mesmo apelo ao serviço se aplica a aposentados com muito tempo e dinheiro, que a princípio podem se entregar ao lazer para fruir luxuosamente sua nova liberdade. Mas, para muitos, o divertimento contínuo se torna um "longo fim de semana". Assim, reproduzindo a busca dos jovens que acabam de se formar na universidade (e mesmo dos ricos independentes), os aposentados também se veem na contingência de repensar suas habilidades, valores e interesses atuais. Alguns voltam à ativa em empregos de meio expediente — não por causa de dinheiro, mas para se sentir úteis, restabelecer contatos pessoais ou profissionais, reafirmar seu senso de relevância ou participar de uma missão importante. E tal qual os jovens, que costumam mudar de emprego várias vezes, podem explorar diferentes maneiras de ser prestativos, trabalhando como orientadores, consultores ou funcionários no pequeno comércio durante algumas horas por dia (a exemplo de Doris). Desse modo, os caminhos da pobreza, da riqueza e mesmo da aposentadoria podem levar, todos eles, à prestação de serviços.

O filme *Feitiço do Tempo* narra a história de Phil, um cínico apresentador de boletins meteorológicos da televisão apanhado numa roda do tempo existencial quando fazia uma reportagem em Punxsutawney, Pensilvânia: ele acorda todas as manhãs no mesmo dia e na mesma cidade. É o único personagem que sabe estar vivendo um só dia repetidamente. A princípio, procura explorar esse conhecimento, tirando vantagem das pessoas e das circunstâncias. A infindável repetição prossegue e Phil, atormentado, comete suicídio várias vezes, de todas as maneiras possíveis, ansiando pela libertação... mas imediatamente acorda de novo no mesmo dia. Por fim, tendo explorado cada possibilidade e exaurido todas as opções, desanima e começa a se aperfeiçoar — estudando piano, medicina e outras profissões — até que aprende a lição definitiva: não há o que fazer exceto servir, tornar-se uma força útil no mundo. Ao reconhecer isso, encontra seu propósito — e, com ele, o amor e a salvação.

Feitiço do Tempo dramatiza nossa própria jornada evolucionária de conscientização. Quando finalmente constatamos que o mundo nos amparou, nos alimentou e nos testou — quer tenhamos ou não merecido essas bênçãos —, passamos a ouvir o chamado do serviço. Como disse meu amigo Lou, que vende seguros de vida e presta assessoria financeira: "Uso o trabalho como pretexto para conhecer pessoas, dizer-lhes palavras amáveis e reconfortantes. Às vezes vendo alguma coisa, às vezes não. Espero que a vida delas se enriqueça com isso. Sei que a minha se enriquece, graças aos muitos amigos que faço". Lou descobriu o que muitos de nós também estamos descobrindo — que não é possível servir aos outros sem servir a si próprio.

Ao considerar a progressão de sua carreira e os desafios que foram os obstáculos e as dificuldades do caminho, lembre-se do primeiro dos quatro propósitos: aprender as lições da vida.

Você já aprendeu muito até agora e vai continuar se adaptando, crescendo, amadurecendo e evoluindo. E, nos momentos em que se sentir preso, estagnado ou mesmo decadente, isso talvez signifique na verdade um recomeço. Persista. Confie em si mesmo. Lidere pelo exemplo. Pratique a coragem silenciosa do cotidiano.

Você ouviu um apelo sagrado.
A pergunta é: aproveitará a
oportunidade
de ouvi-lo?
Iluminará seu próprio caminho?
Você é o autor de sua vida...
Não permita que outros a escrevam em seu lugar.
O verdadeiro poder nos vem
quando fazemos o que devemos fazer,
e o fazemos bem.

— OPRAH WINFREY

Seu trabalho — o serviço que presta, por mais humilde que seja — liga-o à comunidade. Por isso, nunca pense nele, nem em você mesmo, como coisas prontas e acabadas. O escritor Leo Buscaglia nos lembra que "pequenos atos de solidariedade podem mudar inteiramente uma vida". E a vida que você vai mudar inteiramente, por meio da carreira e da vocação, é a sua própria.

O Terceiro Propósito

ENCONTRAR UM CAMINHO NA VIDA

- *Entenda sua vocação oculta*
- *Aproveite seu potencial mais elevado*

O sapato que serve para uma pessoa é apertado para outra; não há receita de viver bem que se ajuste a todos. Cada um de nós tem seu próprio projeto de vida, que não pode ser substituído por nenhum outro.

— C. G. JUNG

ATÉ AQUI, ESTUDAMOS A geografia da escola da vida para em seguida soltar as amarras e percorrer as correntes imprevisíveis da carreira e da vocação — áreas vitais na superfície de nossa vida. Agora, chegou o momento de descer às profundezas. Segundo o filósofo Søren Kierkegaard, "Logo ao nascimento, abrimos velas para o mundo levando ordens seladas". Aqui, com o terceiro propósito, você terá acesso a essas "ordens seladas" e mergulhará em sua vocação oculta ou caminho de vida.

O terceiro propósito começa pelo preceito segundo o qual todos nós, por diferentes caminhos, estamos escalando uma montanha em busca do nosso potencial mais elevado. Como poucas pessoas conseguem avistar os impulsos, desafios e dons em seu próprio caminho a partir do vale da percepção comum, mostro a seguir os elementos essenciais do Sistema do Propósito de Vida. Esse sistema fornece uma chave numérica para o terceiro propósito que você veio ao mundo a fim de alcançar.

Vocação oculta, potencial mais elevado

Entender o terceiro propósito exige uma mente aberta e um coração curioso, pois ele introduz um sistema baseado em antiga tradição mística, que não se sujeita facilmente a explicações científicas. No entanto, sua precisão aponta para mistérios insolúveis e territórios inexplorados, à espera de novos estudos.

Como descobri o Sistema do Propósito de Vida

Apesar de ter passado quase vinte anos estudando a psique humana, diversas tradições intuitivas e inúmeros modelos metafísicos de realidade, no fundo eu continuo sendo um empírico. Valorizo o método científico, que realiza experimentos (controlados, duplamente cegos) rígidos para testar se uma teoria ou hipótese é verdadeira — se, por exemplo, um medicamento, erva ou outra substância funciona melhor que um placebo (pílula inócua de açúcar). Os métodos da ciência ajudaram a tirar a humanidade da idade das trevas da superstição. Assim, durante anos, fui um cético com relação à magia, à racionalização de desejos e às noções não comprovadas.

Eu nem sequer cogitara da existência de uma vocação mais profunda ou de um "caminho de vida" até 1984, quando conheci um mentor extraordinário, que chamo de MB. Ele leu meu primeiro livro, *O Caminho do Guerreiro Pacífico*, e resolveu acolher-me sob suas asas.

Não muito depois do primeiro encontro, MB me mandou sentar e me fez uma "leitura" que mudou o curso da minha vida. Na ocasião, ele mencionou coisas intrigantes e esclarecedoras sobre meu passado, presente e futuro potencial, fornecendo detalhes precisos que se revelaram impressionantemente verdadeiros. Foi como se suas palavras removessem um véu que antes obscurecia minha visão e eu captasse enfim o sentido da vida que nasci para viver.

Fiquei impressionado. Como pudera ele saber tanto sobre minha vida? Como tivera acesso àquela informação? Eu já estava por essa época bem versado nas técnicas de "leitura fria" e truques que os chamados "sensitivos" geralmente usam. Mas MB não reivindicava habilidades psíquicas, alegando apenas que fora treinado para saber "onde olhar" a fim de obter informações daquele tipo. E, na ocasião, não disse mais nada sobre o assunto.

Nos meses seguintes, comecei a aprender lições de vida com mais facilidade e flexibilidade, envolvendo-me no cotidiano de uma maneira mais positiva. Tendo compreendido o que viera fazer no mundo, pus mãos à obra. A situação financeira de minha família foi melhorando à medida que eu aperfeiçoava uma abordagem da vida à qual dei o nome de *caminho do guerreiro pacífico*.

Enquanto isso, continuava fascinado pela aparente capacidade intuitiva de MB. Assim, quando ele comunicou que iria ministrar um curso avançado no Havaí, onde ensinaria, entre outras coisas, os elementos básicos do sistema que lhe proporcionava uma visão tão clara da vida das pessoas, fui o primeiro a me inscrever. Mal podia acreditar que aprenderia a fazer com outros o que ele fizera comigo.

No curso, éramos cerca de vinte alunos. MB iniciou uma série de palestras sobre seu misterioso sistema e a primeira coisa que revelou foi um método objetivo para somar os algarismos da data de nascimento de uma pessoa e depois extrair da soma dados que forneceriam informações sobre sua vida.

No começo, fiquei um tanto decepcionado com essa proposta, como se um mágico me houvesse mostrado de que modo criava ilusões recorrendo a espelhos e a truques de prestidigitação. A "magia" se fora. Além disso, usar datas de nascimento me lembrava a numerologia, uma arte ocultista que nunca me atraíra. Não faz sentido imaginar que, somando os algarismos da data de nascimento de uma pessoa, obteremos informação exata sobre questões importantes de sua vida.

MB explicou que, em muitas culturas, esses métodos eram transmitidos de pai para filho ao longo de séculos, mas podiam diferir nas interpretações e no grau de exatidão. E acrescentou: "Depois que aprenderem um pouco mais sobre o assunto, vocês descobrirão por si mesmos a validade do sistema." A seguir, passou várias tardes dando informações precisas sobre a vida de cada um de nós.

Em breve você irá descobrir, explorando o caminho de vida ou vocação oculta, o que *realmente* veio fazer neste mundo — suas tendências inatas, desafios e dons, que para a maioria das pessoas permanecem desconhecidos ou obscuros.

Tomei notas detalhadas das palestras de MB, delineando em cerca de vinte páginas os elementos fundamentais do sistema. Logo que voltei para casa, passei a fazer sessões gratuitas de leitura do propósito de vida com amigos e parentes, recorrendo à informação básica de minhas notas. Em poucas semanas já sabia tudo de cor e não precisei mais delas. Por fim, após trabalhar com centenas de pessoas, minha percepção se aguçou e se ampliou.

Oito anos mais tarde, treinei alguns terapeutas, profissionais de saúde e consultores nos fundamentos do que vim a chamar de Sistema do Propósito de Vida.

Aqui, no contexto dos quatro propósitos de vida, apresento os elementos essenciais desse sistema como um meio de ajudar você a encontrar seu caminho e sua vocação oculta — o terceiro dos propósitos.

Determine seu número de nascimento

Você pode escolher entre dois métodos para determinar seu número de nascimento, a chave do seu caminho de vida. O primeiro é o mais rápido e preciso.

Método um: use a Calculadora do Propósito de Vida *on-line*

1. Entre em www.peacefulwarrior.com usando o computador, o *smart phone* ou outro equipamento eletrônico com acesso à Internet.
2. Clique no *link* Life Purpose para ter acesso à Life-Purpose Calculator.

3. Digite o dia, mês e ano em que nasceu. Verá então seu número de nascimento juntamente com um parágrafo que dará informações concisas sobre seu caminho de vida. Anote o número antes de voltar a este livro.

Método dois: faça a conta

Se você não tem acesso à Internet, consulte o Apêndice no final do livro (p. 157) para instruções sobre como fazer a conta você mesmo. Depois de obter seu número de nascimento, anote-o e continue a leitura.

Seu número de nascimento e o terceiro propósito

Como acontece com a maioria das pessoas atualmente, seu número de nascimento tem três ou quatro algarismos (ou então um só, no caso de quem nasceu em certas datas após o ano 2000).

Você logo saberá o significado e a importância dos algarismos de 1 a 9 relacionados a desafios em seu caminho de vida. Cada algarismo do número de nascimento fornece informação e esclarecimento sobre esse caminho. Mas tenha em mente o seguinte.

- Se tiver um número de *três algarismos* (por exemplo, 27/9), então o algarismo final, à direita da barra, representará sua vocação oculta — o terceiro propósito que você está aqui para alcançar.

- Se tiver um número de *quatro algarismos* (por exemplo, 29/11), então cada um dos dois algarismos centrais (de cada lado da barra) representará um elemento-chave do seu terceiro propósito.
- Se tiver, o que é raro, um número de *um só algarismo*, então ele representará sozinho todo o seu terceiro propósito.
- Um zero em seu número de nascimento (por exemplo, 20/2 ou 28/10) indica dons espirituais em potencial, como empatia, força ou discernimento intuitivo.
- À medida que você amadurece no caminho de vida, as qualidades associadas a seu número de nascimento tendem a evoluir, passando de negativas (menos maduras) para positivas (construtivas).

A fim de dar sentido a todos esses números e princípios, inserindo-os na esfera concreta de sua vida, examinaremos agora os conteúdos e aspectos associados a cada algarismo (de 1 a 9).

Os nove caminhos de vida

Estude cada uma das descrições que se seguem à luz de sua própria história e experiência, prestando atenção especial aos algarismos do seu número de nascimento. E lembre-se: os caminhos de vida ou as vocações que apresentamos a seguir (associados aos algarismos de 1 a 9) representam tendências ou desafios primários.

1: Criatividade

O 1 diz respeito à energia criativa, nas artes (literatura, mídia visual, interpretação, música) ou na educação (negócios, família, criação de filhos ou qualquer outro campo no qual a criatividade aponte para novos rumos, soluções ou abordagens). O 1 indica também uma queda para a inventividade ou a reinvenção. Quando aqueles que têm o 1 (ou o 1 duplo) no número de nascimento enfrentam sua insegurança inata — seu complexo de inferioridade e o impulso para se pôr à prova —, não mais tentando se enquadrar num modelo convencional, sua criatividade jorra como uma fonte borbulhante. Mas a energia criativa é uma faca de dois gumes: pode se manifestar de forma positiva, produtiva e construtiva ou negativa e destrutiva (como excessos ou vícios). O exercício físico ajuda quem possui a energia 1 a permanecer lúcido e equilibrado. Aplicada de forma positiva, sua energia encanta, atrai e inspira outras pessoas a também ser criativas.

2: Cooperação

O 2 representa uma tendência ao serviço cooperativo e às questões a ele relacionadas, mas também uma propensão ao exagero nesse campo. A pessoa pode iniciar um relacionamento ajudando demais, às vezes a ponto de se mostrar servil — dando de tudo, mesmo que o parceiro não peça nada — e acabar ficando ressentida ou bloqueada, afastando-se (física ou emocionalmente) e sentindo-se um objeto. Quem tem o 2 em seu número de nascimento (e também o 4) pode se sentir francamente responsável pelos problemas alheios e tentar solucioná-los a todo custo ("Eu mesmo farei isso!") ou ser obrigado, de vez em quando, a delegar essa tarefa. O segredo para quem tem o 2 consiste em estabelecer o equilíbrio (e os limites) entre as necessidades (e responsabilidades) dos outros e as suas próprias. As pessoas que trabalham com o 2 podem ser fortes e solidárias como as abelhas, dedicadas e zelosas para com os semelhantes. Embora plenamente capazes de liderar, sua tendência mais profunda e gratificante é prestar apoio leal e efetivo a uma pessoa, organização ou missão empenhada em fazer o bem.

3: Expressão

O 3 caracteriza uma alma sensível, com carência emocional (embora os outros talvez não percebam isso). Romântica e muito suscetível, as críticas são penosas para ela, mas também a ajudam a ligar-se intuitivamente aos semelhantes. O 3 significa uma forte tendência à autoexpressão — por intermédio da fala, escrita, música, pintura, relações públicas ou magistério. Se a tendência expressiva de quem tem o 3 for bloqueada, reprimida ou obstruída, a pessoa pode ficar mal-humorada, deprimida ou manipulativa (sem conseguir expressar claramente o que quer). Do lado negativo, a energia 3 assume a forma de queixa, sarcasmo, insulto, fofoca ou humor negro; do lado positivo, a pessoa se mostra criativa, construtiva, encorajadora, entusiasmada e expressiva. O maior problema com o algarismo 3 é a autodesconfiança inata (a pessoa se sente despreparada ou incapaz). A coragem para superar esse obstáculo capacita-a, no entanto, a se exprimir no mundo de maneira edificante.

4: Estabilidade

O 4 representa uma tendência profunda à estrutura e à estabilidade, mas também ao oposto. Quem tem esse algarismo em seu número de nascimento é ambicioso e resolve problemas de convívio com uma habilidade analítica natural, sendo por isso excelente administrador e organizador. Mas revela também certa propensão a raciocinar demais, o que gera confusão às vezes; por isso, anotar as opções e ouvir a intuição pode ser útil. Pessoas com o algarismo 4 possuem uma força inata que não raro se transforma em teimosia, pois elas veem a si mesmas, aos outros e ao mundo como "deveriam" ser. Parecidas às que têm o algarismo 2, mostram-se tão responsáveis que quase se transformam em "diretores-gerais do universo". Seria muito bom para elas que adotassem um processo claro, gradativo, para alcançar suas metas. Praticar qualquer coisa ou envolver-se num projeto construtivo também pode ser extremamente proveitoso. Quando conseguem equilibrar força e flexibilidade, análise e intuição, impulsividade e paciência (persistência), implantam alicerces sólidos em sua vida e relacionamentos, chegando então a realizar grandes feitos.

5: Liberdade

O 5 representa liberdade — ânsia de experimentar muitas facetas da vida. As pessoas que têm o 5 em seu número de nascimento são bem-dispostas, de raciocínio rápido e personalidade exuberante, acostumadas a ver a vida de diversos ângulos; entretanto, seu amplo leque de interesses pode torná-las dispersivas ou desanimadas. Como são facilmente propensas ao tédio, buscam — ou criam — o drama e a excitação. Muitos desses amantes da liberdade preferem a experiência nova ou a aventura (direta ou indireta) à segurança ou ao dinheiro no banco. Têm forte propensão a resgatar os oprimidos e a defender os fracos. Um de seus principais desafios é a disposição a passar da dependência para a independência, beneficiando-se assim do estabelecimento de relações interdependentes e de uma autoconfiança saudável em sua vida. O segredo de sua liberdade é a disciplina sob a forma de concentração e prioridades claras — escavar um poço profundo em vez de dez poços rasos. Por fim, ajudando os outros a se libertar, a pessoa encontra sua própria libertação.

6: Visão

O 6 pressupõe ideais e padrões elevados de beleza, pureza, justiça, integridade e autenticidade. Contudo, o idealismo pode levar à decepção, já que poucos seres humanos ou situações correspondem às expectativas iniciais de quem possui esse algarismo em seu número de nascimento. *Desilusão* é uma palavra-chave para ele, tanto no sentido negativo de desapontamento quanto no positivo de libertação das ilusões, quando amadurecemos para o realismo e adquirimos um senso sólido de perspectiva. Em grupos de estudo, as pessoas que têm o 6 costumam se comparar às mais bem-sucedidas — e, embora façam vinte coisas com perfeição, tendem a se preocupar com um único erro. Quando substituem o perfeccionismo pela lucidez, aprendendo a aceitar a vida tal como ela é, passam a apreciar seu progresso em vez de se atormentar com os pretensos equívocos do passado. Tão logo descobrem a perfeição inerente à vida que aí está, dotada de ritmo próprio, seu senso de dever e solidariedade contribui para aguçar a visão de um mundo melhor.

7: Confiança

O 7 envolve questões de confiança — em si próprio, nos outros, na vida. É uma energia introspectiva, intuitiva; quem a explora possui mente arguta, capaz de ler nas entrelinhas. Estudiosos e pesquisadores autodidatas (ou eremitas, ainda que vivam em sociedade), as pessoas com o 7 em seu número de nascimento gostam e precisam da solidão. Sua natureza arredia, desconfiada e individualista — além da tendência a ocultar ou propalar o que pensam ou sentem — pode levar a equívocos que elas veem muitas vezes como traições. Essas pessoas estão aqui para aprender a confiar em seu corpo, instintos e capacidade de discernimento, sem recorrer demais à orientação de livros, especialistas e teorias alheias (inclusive de conspiração). Atentas e capazes quanto ao resto, conseguem renovar e revitalizar o espírito no mundo natural, seja este um jardim, uma praia, um deserto ou uma montanha. Logo que passam a confiar em si mesmas, começam a confiar nos semelhantes, estabelecendo com eles acordos claros e abrindo-se descontraidamente para um mundo em que agora se sentem seguras.

8: Reconhecimento

O 8 indica impulsos, conflitos, sentimentos contraditórios e satisfação profunda na esfera do sucesso material — trabalho, dinheiro, influência, autocontrole, autoridade. As pessoas com o 8 em seu número de nascimento negam (às vezes para si mesmas) o impulso inato a ser reconhecidas, podendo até se ressentir com exibições de riqueza, poder ou liderança em outros. Não importam suas notas na escola, elas possuem mente vigorosa, lógica e estratégica que veem longe e com clareza, mas (como as que têm o 4) precisam esforçar-se muito ao longo do tempo para alcançar seus objetivos. É que preferem fazer regras a segui-las e, não raro, necessitam de lições duras para quebrar sua resistência às informações. Reconhecer seu lugar na esfera material coloca-as em contato com seu poder pessoal e, assim, descobrem o que querem, bastando-lhes dar um passo à frente. Evoluem e realizam sua vocação por meio de um empreendimento produtivo — às vezes defendendo causas filantrópicas ou humanitárias —, obtendo sucesso material a serviço de um bem maior.

9: Integridade

O 9 representa aquele que abre caminho — a mulher ou o homem judicioso cuja vida e exemplo arrastam os demais. Todavia, essa postura de integridade e sabedoria só é alcançada depois que a pessoa supera dificuldades, aprende as lições da experiência e "cai na real". Talvez ela demore a conquistar a sabedoria, mas, quando a conquista, torna-se geralmente um grande amparo para os semelhantes. Devido à sua profundidade e carisma, as pessoas com o 9 em seu número de nascimento quase sempre chegam a posições de liderança. Devem se transformar em modelos de integridade ou sofrer as consequências. Tendo embora amigos e família, sentem-se solitárias devido à tendência para viver em seu próprio mundo de conceitos mentais contrários à realidade. Defendem opiniões fortes e são muito sensíveis às opiniões alheias. Só quando se libertam do "deus da opinião" é que ouvem o deus ou a deusa interior, encontrando assim a sabedoria que é seu destino e direito de nascença. Então, revelam o verdadeiro valor da liderança ao iluminar o caminho para os outros.

Resumindo

Esta é uma boa hora para respirar fundo, absorver a informação e captar o sentido das questões e dos aspectos principais associados aos "caminhos de potencial" de 1 a 9. Dê um tempo a você mesmo para explorar até que ponto as descrições se aplicam (ou não) à sua experiência passada e presente. O que se segue irá esclarecer melhor as informações sobre o caminho de vida para o terceiro propósito — sua vocação oculta e seu potencial elevado.

Nesta altura, é bem possível que você se identifique com elementos presentes em todas ou quase todas as nove categorias: 1. Todos nós já fizemos algo criativo ou nos sentimos inseguros às vezes. 2. Apoiamos alguém que se aproveitou de nós. 3. Tivemos sérias dúvidas a nosso respeito ou dificuldade para nos expressar. 4. Ficamos impacientes, perplexos ou confusos, não raro agindo impulsivamente. 5. Ansiamos pela independência ou defendemos os oprimidos. 6. Idealizamos alguém que nos decepcionou ou permaneceu aquém de nossas expectativas. 7. Precisamos de um tempo a sós ou sentimo-nos traídos. 8. Quisemos influenciar outras pessoas ou lutamos para ganhar dinheiro. 9. Assumimos um papel de liderança, cometemos deslizes ou precisamos de um choque de realidade.

Eu reconheço vários aspectos dos números primários em minha vida, pois todas essas questões fazem parte da experiência humana. No entanto, se cada número de nascimento fosse um número de roupa, você talvez constatasse — após experimentar diversos números de nascimento (e questões relacionadas) — que o seu próprio lhe serve melhor para exprimir as forças e os desafios encontrados no teatro de sua história e cotidiano. Por exemplo:

- Se você tem o 1 em seu número de nascimento, sentirá (ou já sentiu) necessidade de se pôr à prova. Achará que está no caminho certo quando sua criatividade fluir livremente.

- Se tem o 2 em seu número de nascimento, vai fazer um esforço (ou já fez) para equilibrar o dar com o receber. Achará que está no caminho certo quando sua ajuda for aceita e reconhecida.
- Se tem o 3 em seu número de nascimento, sentirá (ou já sentiu) insegurança ou sensibilidade emocional exagerada. Achará que está no caminho certo quando encontrar um ouvinte atento.
- Se tem o 4 em seu número de nascimento, se sentirá (ou já se sentiu) confuso devido ao excesso de raciocínio. Achará que está no caminho certo quando em família ou protegido por outras instituições sólidas.
- Se tem o 5 em seu número de nascimento, se sentirá (ou já se sentiu) ao mesmo tempo dependente e independente. Achará que está no caminho certo quando empreender alguma aventura ou prestar serviços aos outros.
- Se tem o 6 em seu número de nascimento, sentirá (ou já sentiu) que poderia ter feito coisa melhor. Achará que está no caminho certo quando se aceitar, e ao mundo, tais como são.
- Se tem o 7 em seu número de nascimento, sentirá (ou já sentiu) que foi traído. Achará que está no caminho certo quando confiar mais em seu corpo, mente e vida.
- Se tem o 8 em seu número de nascimento, sentirá (ou já sentiu) emoções contraditórias a respeito de dinheiro,

fama e autoridade. Achará que está no caminho certo quando for reconhecido por seus excelentes trabalhos em prol dos outros.

- Se tem o 9 em seu número de nascimento, ouvirá (ou já ouviu) mensagens claras sobre integridade. Achará que está no caminho certo quando liderar e orientar pelo exemplo.

Diferenças individuais, padrões comuns

Dois indivíduos nunca são exatamente iguais, mesmo quando seguem o mesmo caminho na vida. Nem gêmeos idênticos permanecem completamente idênticos; crescem e desenvolvem personalidades distintas, com seus próprios interesses. Fatores como ordem de nascimento, sexo, dinâmica familiar e experiências de infância influenciam suas escolhas e reações, ajudando a moldar sua vida. Nenhuma árvore do planeta é igualzinha a outra, mas ainda assim podemos distinguir entre sequoias, pinheiros e bétulas.

Apesar de nossas diferenças individuais, nós, humanos, também seguimos padrões ou caminhos de vida reconhecíveis, cada qual com problemas, potenciais e desafios comuns. Você lidará com esses problemas à sua própria maneira, na hora que lhe for conveniente. E sua vida não se parecerá em nada com a vida de outra pessoa que esteja no mesmo caminho se uma das duas encarar os problemas de maneira mais positiva, construtiva, e a outra insistir nos aspectos negativos, destrutivos.

Embora existam 45 números de nascimento possíveis entre os milhões de seres humanos nascidos de 1900 até o presente, você pode se referir ao seu como um caminho pessoal — porque vivenciará e encarará os problemas de maneira única, só sua. Em última análise, não existe forma melhor ou pior de percorrer seu caminho de vida. Só existe o viver e o aprender.

Você pode identificar os elementos positivos ou negativos de sua vida refletindo, com paciência e compaixão, sobre suas lutas e progressos. Observe onde esteve, onde está agora e para onde irá — ou seja, em que está se transformando. Ao fazer isso, tenha em mente a conhecida história da conversa entre um velho índio norte-americano e seu neto, depois que o garoto se meteu em encrenca. Diz o ancião: "Dentro de cada um de nós moram dois lobos. Um é gentil, produtivo e pacífico; o outro, cruel, destrutivo e perigoso".

"Qual deles é mais forte dentro de mim, vovô?", pergunta o garoto.

"Aquele que você alimenta", responde o ancião.

Eis a liberdade e o poder que moram dentro de nós: podemos escolher entre fomentar as possibilidades negativas do nosso caminho de vida ou nutrir seus aspectos mais positivos enquanto amadurecemos e evoluímos, com o tempo, na escola da vida. Esse poder de escolha significa que nunca é tarde para seguir seu caminho até onde ele o conduzir — nunca é tarde para viver plenamente a vida que você nasceu para viver.

Pontos básicos do seu caminho de vida

A fim de aprofundar e consolidar seu entendimento, eis aqui algumas premissas fundamentais do Sistema do Propósito de Vida que se relacionam com seu caminho.

Primeiro, seu(s) número(s) de nascimento representa(m) o caminho que você está aqui para percorrer — uma escalada —, o que não acontece necessariamente com facilidade. De fato, esse caminho apresenta desafios especiais, assim como possibilidades especiais. Quando você supera obstáculos, obtém benefícios. Esse princípio se aplica a qualquer algarismo primário no número de nascimento de qualquer pessoa.

Por exemplo, aquelas que possuem o 1 no seu número de nascimento — especialmente o 1 duplo, como em 19/10 ou 29/11 — são dotadas de potencial criativo maior, mas sentem o desafio da insegurança de maneira mais aguda. Por isso, nem sempre ou prontamente mostram habilidade e talento inovador; podem, na verdade, parecer pouco criativas a princípio (ou criar de maneira negativa), até superar sua insegurança e dispor-se a ser diferentes, originais, destacadas da massa.

Um exemplo contrário também merece ser levado em conta: meu próprio número de nascimento (26/8) não contém o algarismo 1. Isso não significa, necessariamente, que me falte criatividade; ao contrário, significa que não disponho das mesmas sensibilidades, desafios ou potencial nessa área. Ou seja, nem a criatividade nem a insegurança são elementos principais em minha vida, como é o caso para as pessoas com 1 ou 1 duplo em seu número de nascimento.

Em segundo lugar, conforme já vimos, todo caminho de vida tem os polos positivo e negativo — e, mais que qualquer outro fator, a postura negativa ou positiva moldará o curso de sua vida. (As razões pelas quais uma pessoa cria um programa de computador e outra cria um vírus poderiam encher mais um livro...)

Em terceiro lugar, nenhum caminho de vida é melhor (ou pior) nem mais fácil (ou mais difícil) do que outro. Os caminhos são apenas diferentes, cada qual com seus pontos fortes e seus desafios.

Depois de entender esses elementos capitais dos números do caminho de vida e o modo como funcionam, você sem dúvida desejará rever os nove caminhos (ou, pelo menos, os relacionados aos algarismos primários de seu número de nascimento), no contexto do que agora sabe.

Reflita sobre estas palavras de Anya Seton: "Há muitas trilhas que sobem a montanha, mas todas acabam chegando ao topo". Você nasceu com as tendências, desafios e dons do seu caminho de vida; e só você é responsável pelo que vai fazer com eles.

Caminhos de vida, caminhos de carreira

Tomados de entusiasmo, aqueles que acabam de descobrir o Sistema do Propósito de Vida muitas vezes imaginam que as informações e intuições assim obtidas irão ajudá-los a solucionar todos os enigmas da existência, revelando, por exemplo, as ocupações ou carreiras que devem seguir ou predizendo talento e sucesso numa determinada área.

Exemplo: quando as pessoas que têm o 8 como algarismo predominante exibem uma tendência inata a influenciar outras, todas elas devem se tornar advogados, políticos ou clérigos? Todas as que têm o 1 (ou o 1 duplo) devem cultivar as artes criativas da interpretação, música ou pintura? Todas aquelas cujo caminho de vida é o 7, naturalmente inclinadas à solidão e ao estudo, devem se tornar pesquisadores? Os negócios sempre atraem todos os indivíduos carismáticos que têm o 9 num caminho de vida voltado para a liderança? E todas as pessoas com o 5, propensas a ajudar o próximo, farão trabalhos de resgate ou de caridade?

A resposta é "não", pois somos muito mais complicados que nossos números de nascimento. Apresento com prazer o Sistema do Propósito de Vida como uma solução para todos os que buscam uma carreira; mas seu número de nascimento não determinará o tipo de trabalho que você fará na vida, apenas explicará *como* deve abordar qualquer tarefa e quais são as qualidades necessárias para executá-la.

Cada indivíduo e cada caminho de vida contribuem com diferentes talentos, qualidades e desafios para um dado tipo de trabalho. No campo da interpretação, por exemplo, Meryl Streep (número de nascimento 33/6) demonstra não apenas extraordinária sensibilidade e capacidade expressiva como mestra do dialeto (o 3 duplo), mas também altos padrões (o 6) que a levaram a aprender violino a fim de se preparar para um papel de professora de música. O carismático Robert Downey Jr. (29/11), com o 9 e o 1 duplo, possui abundante energia criativa que o capacita a fazer cada tomada de cena com originalidade inspiradora, sendo também um excelente músico (devido ao 9).

Streep e Downey executam, cada qual, um bom trabalho, mas de maneiras diferentes em termos qualitativos, como reflexo de seus respectivos caminhos de vida. Encontramos muitos outros atores respeitados (e pessoas de todas as áreas) levando suas abordagens únicas para o trabalho, abordagens que refletem não apenas os aspectos característicos de seus caminhos de vida, mas também fatores genéticos, experiência de vida, oportunidade, sorte e esforço ao longo do tempo. Tudo isso contribui para o sucesso em determinado campo. Assim, nenhum caminho e nenhum número em particular podem prever o êxito ou o fracasso. Cada um de nós canaliza sua combinação exclusiva de recursos para a carreira, vocação ou profissão escolhida, enquanto avança para o aproveitamento de todo o seu potencial.

Figuras muito conhecidas, nos mais variados campos, lutaram ao longo da história humana, cada qual à sua maneira, com os problemas encontrados no caminho de vida — alguns mantendo uma postura positiva, outros, negativa. Por exemplo, o ator Paul Newman, a atriz-cantora Barbra Streisand, o astronauta Neil Armstrong, o filantropo César Chávez, o inventor Alexander Graham Bell, o comediante Groucho Marx, o inventor da vacina contra a poliomielite dr. Jonas Salk, o campeão olímpico Jesse Owens, o artista Michelangelo e vários papas compartilham o caminho de vida 26/8 — como também Osama bin Laden. O exemplo de vida que foi Helen Keller, o poeta visionário William Blake, a filantropa Coretta Scott King, o fundador do Facebook Mark Zuckerberg, o pioneiro médico dr. Karl Menninger, o presidente americano Theodore Roosevelt e o filósofo Bertrand Russell compartilham o caminho de vida 32/5 — como também Adolf Hitler. Nessa amostra, pessoas completamente diferentes, famosas numa enorme variedade de campos, têm em comum potenciais e desafios bastante parecidos. Por que seu impacto no mundo não foi igual? A maioria delas venceu seus desafios e aplicou sua energia de forma positiva, construtiva e criativa — enquanto umas poucas preferiram a forma negativa e destrutiva.

Jamais cometa o erro de imaginar que seu número de nascimento o define como pessoa ou limita suas escolhas no mundo. Esse sistema foi elaborado para aperfeiçoar, esclarecer, concentrar a intuição e a compaixão (por nós mesmos e pelos outros) — em suma, é uma ferramenta para adquirir maior autoconhecimento. Os números apenas mostram os recursos que você pode usar em sua carreira e vocação, bem como os obstáculos que certamente irá encontrar ao longo do caminho.

Só a intuição não basta

A sabedoria convencional, em algumas escolas de psicoterapia e psicanálise, postula que uma intuição repentina a respeito de nossas tendências, comportamento passado e experiências edificantes ou traumáticas resulta em catarse e nos liberta, abrindo as portas para uma nova maneira de ser, viver e fazer. A introspecção e a auto-observação saudáveis certamente têm valor, pois graças a elas encaramos com realismo tanto o nosso passado quanto as nossas tendências atuais. De fato, a percepção lúcida de um problema é o primeiro passo para solucioná-lo.

No entanto, mesmo depois de percebermos com clareza um problema, a mudança pode ser lenta e difícil — dois passos para a frente, um passo para trás. Reconhecer que temos medo de elevadores, de espaços fechados, do escuro ou de insetos — e mesmo descobrir qual incidente o motivou — não nos capacita necessariamente a subir até o sexagésimo andar ou a permanecer à vontade num cubículo sombrio, junto com a tarântula de estimação de alguém.

Tenho dois amigos que fizeram terapia por muito tempo. Passam metade do dia analisando suas tendências e a outra metade dramatizando-as. Quando dizem coisas como "Oh, estou sempre atrasado!" ou "Toda vez que ela age dessa maneira, fico louco da vida!", sinto vontade de perguntar: "Agora que sabe disso, *o que vai fazer a respeito*?"

Só a intuição não basta. No máximo, ela fornece um mapa, mas a jornada somos nós que teremos de empreender. Conforme eu já disse, só *pensar* em fazer alguma coisa é o mesmo que não fazê-la. Tomamos consciência de que aprendemos alguma coisa na escola da vida apenas quando nossos *atos* mudam.

Quando examinamos o primeiro propósito (aprender as lições da vida), apresentei as normas da escola — as leis da realidade. Algumas leis são mais importantes que outras e ajudam-nos a superar os obstáculos do caminho — capacitando-nos a *fazer* alguma coisa, a entrar em ação, a modificar nosso comportamento.

Preservar a fé: sua promessa e seu potencial

Use o Sistema do Propósito de Vida, combinado com uma sincera busca espiritual e a auto-observação, a fim de compreender melhor você mesmo e sua vocação oculta — a tarefa que está aqui para cumprir, realizando assim seu pleno potencial. O que você faz com esse potencial se revelará na continuidade de sua vida e no tempo oportuno.

Você concretiza sua vocação oculta dependendo da maneira como reage aos desafios encontrados ao longo do caminho. Não importa onde mora, não importa se é rico ou pobre, ainda tem a responsabilidade, a oportunidade e a capacidade para alcançar a luz suprema que brilha dentro de você. Mas lembre-se desta verdade incontestável: sua vida decorre como deve decorrer. Não podemos prever nem forçar o destino final de nosso caminho — mas podemos, até certo ponto, embelezar nossa jornada a cada etapa.

Saiba que seu caminho o guiará — você não conseguiria se afastar dele. Sempre que der um passo, o caminho estará sob seus pés. O caminho pode dar voltas e serpentear; obstáculos aparecerão enquanto você prosseguir para a frente e para cima. Entretanto, como meu mentor não se cansava de dizer e eu digo a você novamente, "O caminho faz o guerreiro". A própria subida desenvolve a capacidade para completar a jornada. E quanto mais alto subimos, mais belos panoramas avistamos.

Se conhecimento é poder, você agora controla a força de uma compreensão mais profunda dos três primeiros propósitos de vida: aprender as lições essenciais na escola da vida; escolher uma carreira satisfatória; e tomar consciência de sua vocação oculta ou superior enquanto sobe para o ponto mais alto de seu potencial.

O Quarto Propósito

PRESTAR ATENÇÃO AO MOMENTO PRESENTE

• *Preste muita atenção* • *Faça com que cada momento seja importante*

Sem dúvida, não há outro propósito senão o do momento presente. A vida é uma sucessão de momentos. Quando entendemos o momento presente em sua plenitude, já não resta o que fazer e o que procurar.

— YAMAMOTO TSUNETOMO, *HAGAKURE* (*O LIVRO DO SAMURAI*)

CONSIDERE, POR UM MOMENTO, a extensão de território que você percorreu explorando os três primeiros propósitos: primeiro, aprender as lições da vida, as normas da escola e nosso currículo humano; segundo, utilizar ferramentas para um maior autoconhecimento que o ajude a escolher uma carreira e uma vocação satisfatórias; e terceiro, empregar um método inusitado para determinar seu caminho de vida (ou vocação profunda) e persistir nele.

Todas essas informações podem parecer um pouco confusas. Como você irá organizá-las, apurá-las e aplicá-las ao cotidiano? Para esse fim, é hora de encaixar a última peça no quebra-cabeça — o quarto propósito, que integra os três primeiros e reveste o conjunto com a simplicidade e a força do momento presente.

Não importa o que a vida traga — alegrias e decepções, encargos e prazeres —, em meio a tantas complicações, deveres e responsabilidades você sempre pode ter sob seu domínio o momento que surge. É *agora* que obtém acesso ao quarto propósito de vida.

O homem que não tinha um propósito

Ao longo dos anos, além de escrever, dar palestras e ensinar, também fui conselheiro pessoal, às vezes por telefone, às vezes em minha casa no norte da Califórnia. Certa vez, um homem que chamarei de Peter apareceu para uma sessão. Cumprimentamo-nos, ele pagou antecipadamente o preço combinado e eu comecei com a pergunta: "E então, qual o seu propósito vindo aqui? O que gostaria de realizar?"

Ao ouvir a pergunta, ele se sentou e ficou olhando para o chão antes de responder: "Não sei... não tenho nenhum propósito".

"Mas se tivesse, qual seria?"

Peter balançou a cabeça e repetiu: "Nenhum. Nenhum mesmo".

Pensei um pouco sobre aquilo e expliquei: "Esta sessão se baseia inteiramente no que você deseja realizar, Peter. Mas, como não tem um propósito na vida, tudo que posso fazer é agradecer-lhe por ter vindo. Prazer em conhecê-lo. Poderia fechar a porta ao sair?"

Surpreso e um pouco desorientado, Peter se levantou e começou a caminhar para a porta. Mas então se virou e disse: "Espere um pouco! Vim de longe e paguei um bom dinheiro por noventa minutos do seu tempo!"

Sorrindo, repliquei: "Pois sabe de uma coisa? Acho que você acaba de descobrir um propósito. Por favor, sente-se".

Essa brincadeirinha zen de minha parte ajudou Peter a descobrir que ele na verdade tinha um propósito: passar noventa minutos comigo. E quando a sessão terminou, prometi-lhe que ele descobriria outro: voltar para o carro, abrir a porta, entrar, pôr o cinto de segurança, ligar o motor e ir para um lugar qualquer (sem atropelar pessoas nem objetos pelo caminho). Em seguida, uma vez que tivesse chegado a seu destino, outro propósito surgiria.

Contei então a Peter uma breve conversa ocorrida durante o funeral de um grande mestre hassídico. Quando um dos presentes, após render-lhe as devidas homenagens, perguntou a um dos antigos discípulos do falecido: "Qual era a coisa mais importante para seu mestre?", a resposta foi: "Aquilo que estivesse fazendo no momento".

Lembrei a Peter que o propósito de hoje é hoje. O mesmo se aplica a cada instante de nossa vida.

Peter se convencera de que não tinha propósitos porque ainda não vislumbrara nenhuma grande missão para sua vida. Não percebia qual era o propósito mais importante de todos, aquele que surge a cada momento diante de nós. Os momentos são os tijolos que formam os alicerces sobre os quais edificamos nossa vida.

A atenção ao momento que surge tem sido preceituada por inúmeros sábios, em diferentes épocas e numa grande variedade de culturas. O professor William Phelps, da Universidade de Yale, disse: "Esforço-me para viver cada dia como se fosse o primeiro que jamais vivi e o último que jamais viverei". O mestre espadachim zen Taisen Deshimaru lembrava a seus alunos: "Sejam felizes aqui e agora ou jamais o serão". E a escritora Barbara Rasp observa: "Só é possível viver feliz para sempre vivendo cada momento".

Aprendemos as lições da vida (primeiro propósito), escolhemos nossa carreira (segundo propósito) e percorremos o caminho que conduz à nossa vocação oculta (terceiro propósito) apenas *no momento presente*. Bem-vindo ao quarto propósito de vida. Você conseguiu chegar até aqui. Não importa aonde vá nem o que o relógio mostre, você estará sempre aqui e agora.

O que Snood me ensinou sobre a vida

Snood não é nenhum guru oriental nem parente de meu mentor Sócrates. Snood não é sequer uma pessoa e sim um jogo *on-line* (aliás, dos que viciam). E, como muitos jogos que viciam, seduz pela simplicidade. Você dispara uma pequenina bolha bem redonda e colorida contra grupos da mesma cor; se acertar, a bolha desaparece e o objetivo é fazer desaparecer o maior número possível delas. Além de melhorar nossa pontaria (de modo a podermos dissolver outras bolhas coloridas que acaso encontremos no mundo real), Snood proporciona alguns instantes (ou algumas horas improdutivas) de entretenimento; não é absurdo considerá-lo uma forma subsidiária de meditação, um esporte sem exercício, uma atividade isolada.

Mas há uma faceta bela, cuidadosamente oculta do Snood que pode revelar um ensinamento transcendental sobre a vida

— e sobre como viver o instante de maneira sempre nova, inocente, sem juízos de valor nem expectativas. A surpreendente revelação prestes a ser feita justificará as horas que passo empurrando o *mouse* na esperança de superar meu último recorde? Provavelmente não. Ou talvez sim, dependendo do que você fará com o que vou lhe contar. Quem sabe então minhas horas perdidas não foram tão perdidas assim?

Pois aí vai minha revelação: a cada cinco disparos mais ou menos, toda a configuração das bolhas se modifica. O que era já não é mais. Tudo muda, como a vida. Qualquer plano ou estratégia que eu tenha concebido para o próximo disparo se torna inútil. Decepções ou resistências não levam a lugar nenhum — outra vez, como na vida. É um jogo de bola (ou bolha) inteiramente diverso. Você precisa alterar sua postura mental sem perda de tempo, observar de novo e encarar o que está aqui e *agora*, no instante em que surge.

Tudo muda — sem parar. E todas as vezes a pergunta é a mesma: que devo fazer? Qual é o meu propósito neste exato momento? Snood me ensinou a insistir, não no que quase foi, no que poderia ou deveria ter sido, mas no que é. O imperador Marco Aurélio escreveu: "O tempo é um rio feito de acontecimentos que passam. Tão logo alguma coisa se apresenta à nossa vista, desaparece e outra ocupa o seu lugar... para também desaparecer sem demora". Os momentos se desdobram como ondas batendo contra a costa. Se você for derrubado por uma delas, fique novamente de pé e prepare-se para a próxima. Onda após onda, momento após momento.

A vida como sequência de momentos

Nossa vida inteira consiste em uma sequência de momentos. Como disse a poetisa Emily Dickinson, "O sempre é composto por agoras". Ninguém é inteligente, gentil, cruel, neurótico, santo, iluminado, alegre ou triste o tempo todo. Mas algumas pessoas têm mais momentos inteligentes, gentis, cruéis, neuróticos, santos, iluminados, alegres ou tristes. Uma meta realista seria multiplicar os momentos de gentileza, iluminação, inteligência ou felicidade.

Vivendo, fazemos alguma coisa a cada momento. Esse fazer pode ser dormir e sonhar, rir e divertir-se, sentar-se silenciosamente em meditação, escrever ou espreguiçar-se. Vida é ação (ou inação), momento a momento. Assim, se você tende a sonhar grande, comece aos poucos; depois, ligue os pontos. Esses pontos são momentos.

O que você está fazendo agora? Está sentado numa cadeira ou sofá, andando na esteira ou pedalando numa bicicleta ergométrica? Talvez esteja deitado na cama, sentado à mesa ou sob um guarda-sol, num parque ou numa praia. Não importa o local, ler é seu propósito neste momento. Talvez interrompa a leitura por alguns minutos, olhe para cima e para os lados, respire fundo, beberique um drinque ou coma um salgadinho — e esses serão os seus propósitos nos instantes seguintes.

Cada momento é uma dádiva. E, como diz o ditado: "Um momento pode mudar um dia, um dia pode mudar uma vida, uma vida pode mudar o mundo".

Não existe decisão futura

Todas as decisões são tomadas no momento e para o momento. Tentar tomar uma decisão definitiva é como tentar comer de uma vez para sempre. As ondas continuam chegando; as circunstâncias não cessam de mudar. Cada momento é um momento. Você quer saber o que decidiu? Então observe o que faz.

Comece seu treinamento para tomar decisões (e viver o momento) levando em conta as dicas e orientações a seguir.

Você só precisa decidir o que fará agora. Essa é a única decisão que pode tomar ou que jamais tomará. As decisões só valem para o momento: as resoluções são, na melhor das hipóteses, boas intenções. Tome-as se quiser — e encare o momento seguinte, a próxima onda. Que vai fazer agora?

Você só precisa tomar uma decisão no momento em que precisa tomá-la. Decidir em que faculdade se matriculará, que emprego irá assumir e com que homem ou mulher sairá ou se casará não é necessário até o momento crucial. Enquanto isso, não esquente a cabeça com o problema. Apenas faça o que estiver fazendo naturalmente no momento.

Nós só precisamos administrar nossa vida (ou mudá-la) em momentos relevantes. Um dos preceitos básicos dos Alcoólicos Anônimos é: "Um dia de cada vez". Na verdade, precisamos nos controlar apenas *em determinados momentos*. O alcoólatra não sente vontade de beber o tempo todo. Só deve decidir não tomar a primeira dose quando o impulso para fazer isso se manifestar. Então, optará por não beber, pedirá ajuda ou irá a uma reunião dos AA.

As decisões se tornam mais claras quanto mais perto você está do momento em que precisará tomá-las. Decidir o que fazer daqui a um ano ou depois da aposentadoria é muito difícil e em geral não passa de adivinhação, quando muito. De novo, é apenas desejo ou intenção. Mas decidir o que fazer agora decorre naturalmente das circunstâncias atuais.

Este momento é tudo que você precisa encarar. É o seu momento de poder.

Não podemos apreender o agora

Qualquer físico lhe dirá que aquilo que costumamos chamar de "momento presente" não tem realidade objetiva: de fato, não existe. Se você pronunciar a palavra "agora" o mais rapidamente possível, entre o primeiro e o último "a" milhões de nanossegundos se passarão. Como disse o filósofo e cientista William James: "Onde está o momento presente? Escapou de nós antes que pudéssemos tocá-lo, desvaneceu-se no vir a ser". Eis o que caracteriza o momento presente.

No entanto, paradoxalmente, tudo o que temos é o eterno agora. Flutuamos rio abaixo na corrente do tempo, fluímos com ela e continuamos parados. Apenas isto: o tempo nos arrasta e, contudo, permanecemos imersos na imobilidade do momento. Passado e futuro estão acontecendo agora. Só o agora existe. *É sempre agora, aonde quer que vamos.*

O passado é lembrança; o futuro é imaginação. Ótimos lugares para visitar, mas não para morar. Propósitos ligados ao passado ou ao futuro são irreais, meros conceitos fantasmas conjurados pela mente. Ocupe-se apenas do que está diante de você. Explorando o quarto propósito — o momento que surge —, encontramos a vida simples. A realidade está onde estamos agora — movendo-se na imobilidade, fluindo com a corrente do rio do tempo, repousando no eterno agora.

Evite comparar o momento atual com lembranças passadas ou sonhos futuros e encontrará a serenidade — aqui e agora. Como disse um sábio zen, "Quando estou com fome, como; quando estou com sede, bebo; quando estou cansado, repouso".

O desafio de ater-se ao presente

O desafio de ater-se ao momento que surge pode ser demonstrado com uma pergunta simples: quantas vezes você saboreia conscientemente uma refeição? Reflita bem sobre essa pergunta. Qual foi a última vez que você apenas comeu — não enquanto lia, via televisão, ouvia rádio, conversava, digitava no computador ou falava ao telefone, mas a última vez que se sentou para comer, apenas para comer — observando o alimento, cheirando-o, degustando-o, bem ciente do que mastigava e engolia? Quando foi a última vez que o ato de comer bastou para concentrar toda a sua atenção? (Provavelmente, essa tarefa não é mais fácil para mim do que para você.)

A maior parte do tempo, sentimo-nos enfastiados com o presente. Assim, a grande dificuldade de viver nele e aceitá-lo é que *na verdade não queremos isso.* O presente não nos basta porque não lhe damos atenção. Não é estranho que mergulhemos num *video game* ou num filme durante longos minutos ou horas e sejamos incapazes de nos concentrar plenamente num jantar por mais de alguns segundos? Nossa mente inquieta salta do passado ao futuro, lembrando, julgando, lamentando, reencenando, antecipando, planejando, esperando. E nada disso tem coisa alguma a ver com o momento presente. Como disse o escritor Alan Watts: "A força das lembranças e expectativas é tal que, para a maioria dos seres humanos, o passado e o futuro são... *mais* reais que o presente".

Uma noite, no ginásio, depois que Sócrates me viu voar da barra mais alta, executar uma manobra aérea dificílima e realizar um pouso perfeito, ergui os punhos com orgulho e declarei encerrado o treino. Tirei o agasalho, enfiei-o na mochila e saímos. Quando atravessássemos o corredor, ele me disse: "Você sabe, Dan, que seu último movimento não foi nada bom?"

"Do que está falando?", estranhei. "Faz muito tempo que não realizo um pouso tão bom assim!"

"Não estou falando do pouso", respondeu ele, "e sim do modo como tirou o agasalho e enfiou-o na mochila."

Compreendi: eu considerara um momento, o da ginástica, especial e o seguinte, comum. Sócrates me lembrava, de novo, que não existem momentos comuns. Essa compreensão, esse desafio está bem no centro de sua vida e determinará a qualidade de cada instante dela. Você pode, você quer aprender a amar o momento atual? Você será capaz de desenvolver a capacidade de prestar ao agora a mesma atenção que presta a um amigo ou ente querido — ou, pelo menos, a um jogo *on-line*? Perceberá o valor inestimável de cada instante fugaz a escorrer, como um grão de areia, pela ampulheta do tempo que lhe resta no mundo? Na medida em que você prestar atenção ao momento, cumprirá a promessa do quarto propósito de vida.

O dom da vida: uma questão de perspectiva

Você surgiu do nada, nasceu na esfera material deste pequeno globo azul e verde que gira, suspenso, numa vasta galáxia do cosmos. Você pode se perguntar como e por que passou a existir ou indagar onde o espaço termina, mas não encontrará respostas porque todas as grandes questões levam à perplexidade e ao estupor — e talvez, até certo ponto, à gratidão pelo milagre de haver sido convidado para a festa. Avaliando o que ganhou, pode sentir o desejo de retribuir — e é assim que começa a jornada do serviço ao próximo, a recompensa pelos bons atos praticados, o umbral para a felicidade.

Imagine um instante que, por uma estranha reviravolta do destino, você acorde um dia na prisão, devendo ser executado à meia-noite. Olha pelas grades da cela e avista os primeiros raios de seu último nascer do sol. O canto do galo, ao longe, soa doce aos seus ouvidos. Você se sente grato por cada cena, som, gosto e aroma desse dia, que passa tão depressa! Come sua última refeição enquanto as sombras se adensam lá fora. E, quando o sol se põe, dá o derradeiro adeus àquela luz que nunca mais verá.

Cada minuto que passa o aproxima mais e mais da despedida final, da última prece, do último alento.

Esse dia aguarda todos nós. Podemos saber, bem antes, que o fim está próximo, ou só nos derradeiros segundos, ou nunca. Mas quando o carrasco ergue o machado, quantos de nós não gostariam de gritar: "Por favor, só mais um instante! Deixe-me respirar só mais uma vez! Dê-me só mais uma visão, um som, um toque de meus entes queridos!"

Agora é o momento perfeito para olhar em volta, ouvir, respirar fundo, passar algum tempo em contato com a natureza — na montanha, praia ou floresta —, acariciar seus entes queridos e fazer o melhor da vida enquanto pode. Quanto tempo, quantos momentos ainda nos restam? Ninguém sabe.

A própria vida é uma experiência de quase morte — efêmera e inadiável. Um entre bilhões, você vai em frente amando, servindo, sofrendo, se regozijando, buscando significado e realização. Mas agora já sabe que cada vida é a jornada de um herói e que cada momento tem seu valor.

A prática mais importante

Nós *fazemos* coisas o tempo todo — arrumamos a cozinha, lavamos roupas, vamos às compras. No trabalho, escavamos, digitamos, transportamos ou falamos. Mas poucos de nós *praticamos*. A grande diferença entre fazer e praticar é a seguinte: quando você pratica uma ação, não está apenas agindo mecanicamente, mas se esforçando para melhorar ou redefinir a tarefa

— quer esta seja assinar seu nome, abrir uma porta, carregar caixas, dirigir ou passar roupas.

Sabemos bem o que é praticar futebol, dança ou um instrumento musical. Naturalmente, nessas atividades de treinamento formal, compreendemos que nosso desejo é melhorar o chute, o passo ou a execução. Encaramos tais atividades como algo especial e separado das práticas do cotidiano, como se merecessem mais nossa atenção. Não foi por acaso que Sócrates me disse uma vez: "A diferença entre nós, Dan, é que você pratica ginástica e eu pratico tudo".

Pense nisso! E se você praticasse todos os momentos e todas as coisas que faz? Se prestasse a máxima atenção ao ato de levar o garfo à boca, mastigar, respirar — às palavras que diz e ao modo como as diz? Garanto-lhe: aos olhos de alguns de nossos amigos mais neuróticos e obsessivos, a ideia de praticar cada coisa que fazemos parece um programa compulsivo e interminável de autoaperfeiçoamento. Mas esse não é o ponto.

A prática que recomendo cria uma estética. Sua vida se torna uma forma de arte com desempenho único — e isso acontece a todas as pessoas porque nenhuma pode viver a vida de outra. Quando *praticamos* tudo aquilo que fazemos, nossa atenção se volta espontaneamente para o agora. Entramos no fluxo. Passamos a integrar o circuito. Tornamo-nos uma nuvem deslizando pelo céu, sem ir adiante do vento nem ficar para trás, mas movendo-nos naturalmente, em harmonia com aquilo que os sábios chineses chamam de Tao.

Essa é a minha prática. De certa forma, continuo sendo um principiante, mas um principiante devotado. Pratico tendo inteira confiança no princípio segundo o qual melhoramos com o tempo. O primeiro passo consiste em firmar a intenção sincera de respeitar cada momento fugaz e encarar cada ação como se milhares de pessoas a estivessem testemunhando. O modo como você faz uma coisa é o modo como faz todas as coisas e por isso os mestres zen dizem: "Se conseguir servir chá da maneira correta, então se sairá bem em tudo". Ao dominar uma atividade, você domina a si mesmo. Pergunte-se então, a qualquer momento, estou respirando? Estou descontraído? Estou me movendo com desenvoltura?

O conceito de Caminho é uma das pedras angulares das tradições espirituais do Oriente, que nos deu as artes dos arranjos florais, da caligrafia, da cerimônia do chá e de muitas disciplinas marciais, além da meditação sentada e em movimento — não como fins em si mesmos, mas como instrumentos para iluminar o trajeto, rejuvenescer nosso coração e mente, fornecer um modelo de vida e uma abertura para o tipo de dissolução do ego em momentos de absorção que gozávamos quando pequenos. O que perdemos, podemos recuperar. É assim que "nos tornamos crianças novamente" para "entrar no reino dos céus".

Pratique tudo aquilo que fizer. Perceba as pequenas coisas — a mudança sutil de postura que alivia as tensões, a respiração relaxante, as lembranças que fazem sorrir apenas por sorrir. Seis palavras: aqui e agora, respirar e relaxar. Pratique isso em tudo o que fizer e sua vida mudará para melhor.

A despeito do que você certamente ouviu sobre "apenas ser" ou "não importa o que fazemos, mas o que somos", peço licença para discordar. A meu ver, considerando-se a influência que exercemos no mundo exterior, onde existimos, somos (em grande medida) aquilo que fazemos. Assim, a mudança de comportamento muda a identidade a cada instante.

Você não precisa ter pensamentos positivos. Não precisa se sentir tranquilo, confiante, compassivo, feliz ou amável — basta que se comporte dessa maneira na medida do possível, sempre que se lembrar de fazê-lo. Essa prática revigora e enaltece o melhor de sua humanidade e espiritualidade, refletindo o âmago do *caminho do guerreiro pacífico*.

O quarto propósito de vida, que integra e apura os outros três num momento controlável de cada vez, exige uma vida inteira de prática. Recorrendo a tudo que aprendeu durante a jornada, você consegue transformar o cotidiano numa senda de evolução pessoal e infundir em cada momento um significado e um propósito novos.

Atente para o agora a cada respiração. E, a qualquer momento, pergunte a si mesmo: "Qual é meu propósito neste instante que surge?" Então, faça o que deve ser feito, num magnífico e constante desfile de metas que moldam a história de sua vida e da vida de todos.

Epílogo

NOSSO PROPÓSITO ESPIRITUAL

Se a Terra é uma escola, então a formatura o que é? O que aguarda você no topo da montanha? Pode a sua vida ser mais misteriosa do que lhe parece quando a observa do vale da percepção convencional? Desde os tempos antigos, místicos e xamãs consultam oráculos e tentam se comunicar com o espírito do mundo, enquanto outros espiam o céu noturno e mergulham profundamente dentro de si mesmos para obter respostas. Parece adequado, nesta altura, completar a investigação dos quatro propósitos de vida examinando o propósito espiritual da nossa vida, que é de longe o mais importante.

Relato a história da minha própria jornada mística em *O Caminho do Guerreiro Pacífico*. Muitos leitores me confessaram que esse livro mudou a vida deles. Poucos conseguem explicar exatamente o que mudou, mas acho que se resume no seguinte: a história descreve minha mudança de um enfoque estreito no sucesso pessoal para uma visão mais completa da vida — e os leitores compartilham essa experiência.

Na adaptação para o cinema do meu primeiro livro, o amplo espectro da busca cede lugar a uma história menor sobre um jovem ginasta que vai absorvendo fragmentos de sabedoria até obter uma compreensão mais profunda da força do momento presente. Em outras palavras, o filme termina com o quarto propósito de vida.

Mas este epílogo, como o meu primeiro livro, não se detém no autoaperfeiçoamento e nos conduz ao que pode ser a meta final da humanidade: a transcendência, usualmente definida como o que está acima ou além. Mas qualquer definição de dicionário é precária, porque a experiência, em razão de sua própria natureza, ultrapassa a linguagem convencional e desafia quaisquer descrições. Por isso, Lao-tsé disse: "Quem a conhece não fala, quem fala não a conhece".

Muitos dos sábios e santos que viram a luz, a verdade ou a realidade tais quais são, quiseram oferecer pistas, métodos, metáforas e caminhos rumo àquilo que desafia a descrição. Os mestres zen propõem *koans* a seus discípulos — enigmas que não podem ser solucionados pela mente racional (por exemplo, "Como era seu rosto antes de você nascer?"). O *koan* força a percepção do discípulo a ir além da mente convencional para vivenciar o *kensho*, uma ruptura semelhante, mas muito mais intensa, à experiência de "heureca!" quando resolvemos um problema corriqueiro.

Os *koans* zen são apenas um meio de tornar mais fácil o despertar. Procurando atingir um estado de libertação ou bem-aventurança, os mestres sufi rodopiam e dançam, enquanto outros místicos buscam visões ou ingerem substâncias psicotrópicas. Outros, ainda, rezam, contemplam, meditam, cantam ou entregam-se a práticas que envolvem respiração e visualização. Todos, no entanto, procuram um lampejo do transcendente.

Mas por que se preocupam com isso? O mundo real e a vida cotidiana não lhes bastam? Talvez mesmo a transcendência nem exista, a não ser na cabeça dos verdadeiros crentes. Talvez as ideias sobre o divino, a alma, o espírito e as esferas celestes durante ou após a morte física sejam noções fantasiosas, voos da imaginação. Nossa alma pode ou não ascender ao paraíso; e mesmo que tenhamos vidas passadas e futuras, delas não nos lembramos com nitidez. Portanto, só uma coisa é certa: precisamos viver *esta* vida.

Em momentos de confusão e perplexidade, no entanto — ou, mais frequentemente, quando nos vemos às voltas com a tragédia, a mudança súbita, a desgraça ou a proximidade da morte —, somos tentados a fazer as perguntas existenciais: "De que serve a vida se vamos morrer?" e "Para que estou aqui?" Nessas horas, a possibilidade de uma inteligência divina, de um primeiro motor, fonte criadora e substância do universo, costuma parecer não apenas atraente, mas, de certa forma, óbvia. (Nas palavras de um intelectual religioso, "Deus existe, logo, não é preciso pensar no assunto".) Afinal, inúmeros sábios, místicos e clérigos, que se devotaram inteiramente à busca do Espírito, de Deus ou da Verdade, relatam como as "portas do céu" lhes apareceram depois que superaram as ilusões da mente convencional para contemplar a verdade libertadora — uma visão da Consciência eterna e absoluta imersa no cerne da nossa existência. Eles nos convidam a olhar para cima, para o propósito espiritual, mesmo estando envolvidos no cotidiano; a fundir céu e terra num ato de fé; a viver nossa vida com a cabeça nas nuvens e os pés no chão.

Durante a maior parte do tempo, a realidade imediata monopoliza nossa atenção. Temos, todos os dias, tarefas, compromissos, prazeres e problemas. Interpretamos nossos dramas no teatro dos ganhos e das perdas, dos desejos e das satisfações. Perseguimos a realização, o gozo e o sucesso, tentando fazer com que a vida se acomode às nossas esperanças e desejos. Não importa o grau do nosso sucesso ou *status*, experimentamos apego, ansiedade e decepção neste mundo de mudanças. Constatar isso pode inspirar a busca sincera e sem preconceitos de uma verdade superior, transcendental.

Para você compreender a diferença entre percepção convencional e transcendental, imagine-se deitado de bruços num vale, examinando pedras, sementes e ervas, em vez de estar de pé no alto de uma montanha contemplando o panorama lá embaixo. As duas experiências são válidas, mas só uma proporciona um quadro mais amplo. Para apreciá-lo, precisamos subir. Na vida diária, porém, a mudança de percepção pode ocorrer num instante. Quando operamos essa mudança — visualizando o quadro mais amplo da vida mesmo sem nos afastarmos do cotidiano —, os mundos convencional e transcendental se tornam um só.

Buscar o que está além não significa rejeitar a realidade imediata, mas, ao contrário, aceitá-la plenamente sem resistência, apegos ou expectativas. Com isso, adquirimos uma sabedoria bem-humorada e já não nos levamos muito a sério (nem aos nossos dramas). Uma rápida visão do transcendente pode restaurar nossa leveza de espírito e é por isso que muitas pessoas despertas consideram o propósito espiritual a busca definitiva mesmo enquanto lavamos roupas, cuidamos dos filhos e trabalhamos por um mundo melhor.

Liberdade e alegria não estão longe; estão aqui mesmo, neste momento, bem diante de nossos olhos. Todos os caminhos e os quatro propósitos estudados neste livro conduzem a um despertar em que teorias e conceitos, modelos e mapas se dissolvem no presente eterno, na realidade tal como ela é.

Os quatro propósitos não só dão sentido à nossa vida como proporcionam os fundamentos para esta grande meta espiritual: a busca da iluminação. Depois de descrever o círculo e completar a "jornada sem distância", reconhecemos que já estávamos aqui antes. Sempre estivemos aqui, exatamente neste lugar, neste momento que surge revestido de mistério absoluto e divina perfeição.

Em momentos de serenidade, muitas pessoas se emocionam ao refletir sobre a maravilha, o milagre e o enigma que estão no centro da nossa vida. Na epígrafe que cito a seguir, extraída do meu romance *As Jornadas de Sócrates*,* meu antigo mentor chega, depois de uma árdua odisseia, à seguinte conclusão sobre a realização que a todos nos espera.

Quando eu era jovem, acreditava que a vida deveria
desdobrar-se de modo ordenado,
segundo minhas esperanças e sonhos.
Agora, porém, compreendo que o Caminho serpenteia
como um rio, sempre mudando, sempre para a frente,
seguindo a atração de Deus
rumo ao Grande Oceano do Ser.
Minhas jornadas revelaram que
o próprio Caminho dá origem ao guerreiro;
que toda vereda conduz à paz e
toda escolha, à sabedoria.
E que a vida sempre foi
e sempre será
Filha do Mistério.

— DAN MILLMAN, *AS JORNADAS DE SÓCRATES*

* Publicado pela Editora Pensamento, São Paulo, 2006.

AGRADECIMENTOS

TODO LIVRO TEM SUA HISTÓRIA e seu elenco de personagens. Muitos, e este é um deles, começam como um empreendimento solitário — uma ideia na cabeça do autor, um impulso que acaba se transformando em missão. Depois, as horas solitárias nas quais se enfrentam e preenchem páginas e mais páginas em branco tornam-se o primeiro jorro criativo. Cedo ou tarde, porém, o autor acaba precisando de outros para lhe dar informações, pontos de vista e orientação editorial.

Muitas pessoas me ajudaram nesse processo: minha esposa Joy, minha filha Sierra e meu amigo Doug Childers se dispuseram a abrir caminho em meio à cerrada floresta verborrágica que caracterizou o primeiro esboço, procurando parágrafos merecedores de uma oportunidade e ajudando-me a podar os excessos de modo que o segundo rascunho lembrasse um pouco mais um jardim planejado, com ideias dignas de posterior cultivo dispostas em fileiras regulares.

Pude então apresentar o manuscrito à editora Linda Kramer, da H. J. Kramer Inc., que trabalha a quatro mãos com a New World Library. Ela imediatamente percebeu o potencial do livro e fez sua proposta. Eu agora tinha uma editora interessada no trabalho em andamento.

Então um grupo de leitores, incluindo Martin Adams, Holly Deme, Alex Deme, Peter Ingraham, David Moyer e Beth Wilson, ajudou a desbastar o material.

Depois de uma última revisão, enviei o manuscrito à preparadora *freelance* Nancy Carleton, que trabalhou o texto linha por linha com precisão cirúrgica, sugerindo acréscimos antes que eu entregasse o manuscrito pronto para a equipe de editoração e produção da New World Library. Ali, ele foi novamente revisto por Kristen Cashman e Jason Gardner, ficando o *design* da capa da edição em inglês aos cuidados de Alan Hebel e Ian Shimkoviak, da Book Designers. Tona Pearce Myers fez a diagramação e Karen Stough corrigiu as provas, enquanto Munro Magruder e Monique Muhlenkamp se ocupavam do marketing e da publicidade.

Foi quando Suezen Stone, o dinâmico diretor de direitos estrangeiros da H. J. Kramer, contatou editores de outros países para lhes oferecer o novo livro.

Uma comunidade é necessária não apenas para criar um filho, mas também para preparar um livro e colocá-lo no mundo. Sou muito grato a todos.

Recursos complementares

FONTES

SE VOCÊ QUISER EXPLORAR mais a fundo os tópicos seguintes, consulte as fontes das quais extraí o material utilizado na elaboração de *Os Quatro Propósitos de Vida*.

Cursos e currículos sobre o planeta Terra

No Ordinary Moments: A Peaceful Warrior's Guide to Daily Life
Dan Millman (H. J. Kramer/New World Library)

Conforme indicado no subtítulo, este livro sugere práticas fundamentais do caminho do guerreiro pacífico e contém seções onde são tratados temas como vícios universais e controle de energia, não encontrados em minhas outras obras.

Everyday Enlightenment: The Twelve Gateways to Personal Growth

Dan Millman (Grand Central Publishing)

Esta obra apresenta uma introdução sumária a cada matéria da escola da vida, oferecendo uma visão profunda dessas doze esferas da nossa existência.

Normas escolares

The Laws of Spirit: A Tale of Transformation

Dan Millman (H. J. Kramer/New World Library)

Este livro relata uma aventura nas montanhas em companhia de uma misteriosa e sábia mulher que revela certas leis do espírito, inclusive equilíbrio, escolhas, processo, ação, entrega e unidade, explicando como são aplicadas à vida diária.

Histórias de transcendência

Bridge Between Worlds: Extraordinary Experiences That Changed Lives

Dan Millman e Doug Childers (H. J. Kramer/New World Library)

Este livro se destina aos leitores que gostam de histórias documentadas, capazes de expandir a imaginação e realçar a natureza misteriosa da vida — e aos que apreciam evocações dramáticas das intrigantes possibilidades da vida.

Epígrafe final
(Texto reproduzido com a permissão da HarperOne Publishers)

*The Journeys of Socrates: A Novel**

Dan Millman (HarperOne Publishers)

Esta odisseia russa, iniciada com uma morte e um nascimento em 1872, relata a vida, as provações e a evolução do homem que mais tarde chamei de Sócrates. É a história de como um garoto se torna homem, de como um homem se torna guerreiro e de como um guerreiro encontra a paz.

* *As Jornadas de Sócrates*, publicado pela Editora Pensamento, São Paulo, 2006.

Apêndice

OPERAÇÕES MATEMÁTICAS PARA DETERMINAR SEU NÚMERO DO CAMINHO DE VIDA

Se você somar alguns algarismos (como 2 + 4 + 3 + 6), obterá seu número de nascimento com apenas três operações simples:

1. Escreva numericamente uma data de nascimento correta. Por exemplo: 20 de abril de 1975 se torna 20-4-1975. *Nota*: inclua todos os quatro algarismos do ano, como em 1975 (e não 75) ou 2010 (e não 10).

2. Some todos os algarismos. Neste exemplo, 2 + 0 + 4 + 1 + 9 + 7 + 5 = 28. *Nota*: separe todos os algarismos.

Assim, para 20 de abril, você somará 2 + 0 + 4 (*não* 20 + 4).

3. Depois de obter a soma, você decompõe o número — neste exemplo, 28 — em seus dois algarismos para obter o resultado final, de modo que 28 se torna 2 + 8 = 10. O *número de nascimento* final é escrito (neste exemplo) assim: 28/10.

Outros exemplos:

- 20 de outubro de 1988: 20-10-1988 — 2 + 0 + 1 + 0 + 1 + 9 + 8 + 8 = 29; portanto, 29/11 (número de nascimento com quatro algarismos).
- 3 de março de 1960: 3-3-1960 — 3 + 3 + 1 + 9 + 6 + 0 = 22; portanto, 22/4 (número de nascimento com três algarismos).
- 20 de fevereiro de 2003: 20-2-2003 — 2 + 0 + 2 + 2 + 0 + 0 + 3 = 9 (número de nascimento com um algarismo).

Confira seus cálculos; embora se trate de uma soma simples, você vai querer que eles estejam corretos. (Recomendo-lhe checar os resultados por meio da "life-purpose calculator" no *site* www.peacefulwarrior.com, que também fornece informações adicionais.)

PRÓXIMOS LANÇAMENTOS

Editora
Pensamento
SÃO PAULO

Para receber informações sobre os lançamentos da Editora Pensamento, basta cadastrar-se no site: www.editorapensamento.com.br

Para enviar seus comentários sobre este livro, visite o site www.editorapensamento.com.br ou mande um e-mail para atendimento@editorapensamento.com.br